BIBLIOTHÈQUE PUBLIQUE

- 9 NOV. 2010

DE WINNIPEG

D1026985

VICTOR

ANNIE GOULET

VICTOR

TRÉCARRÉ
Une compagnie de Quebecor Media

Catalogage avant publication de Bibliothèque et Archives nationales du Québec et Bibliothèque et Archives Canada

Goulet, Annie, 1981-
Bal des finissants : Victor
Pour les jeunes de 12 ans et plus.
ISBN 978-2-89568-423-7

I. Titre. II. Titre: Victor.

PS8613.O917B34 2009   jC843'.6   C2009-940208-4
PS9613.O917B34 2009

Édition : Miléna Stojanac
Révision linguistique : Nadine Tremblay
Correction d'épreuves : Marie-Ève Lefebvre
Couverture : Marike Paradis
Photo de l'arrière plan (couverture) : *Peony Dreams* par Geishaboy500,
www.flickr.com/photos/geishaboy500/
Grille graphique intérieure : Marike Paradis
Mise en pages : Marike Paradis et Sam Murray

Cet ouvrage est une œuvre de fiction ; toute ressemblance avec des personnes ou des faits réels n'est que pure coïncidence. Entre autres, l'école secondaire Cœur-Vaillant n'existe pas.

Remerciements
Les Éditions du Trécarré reconnaissent l'aide financière du gouvernement du Canada par l'entremise du Programme d'aide au développement de l'industrie de l'édition (PADIÉ) pour ses activités d'édition. Nous remercions le Conseil des Arts du Canada et la Société de développement des entreprises culturelles du Québec (SODEC) du soutien accordé à notre programme de publication. Gouvernement du Québec – Programme de crédit d'impôt pour l'édition de livres – gestion SODEC.

Tous droits de traduction et d'adaptation réservés ; toute reproduction d'un extrait quelconque de ce livre par quelque procédé que ce soit, et notamment par photocopie ou microfilm, est strictement interdite sans l'autorisation écrite de l'éditeur.

© Les Éditions du Trécarré, 2009

Les Éditions du Trécarré
Groupe Librex inc.
Une compagnie de Quebecor Media
La Tourelle
1055, boul. René-Lévesque Est
Bureau 800
Montréal (Québec) H2L 4S5
Tél. : 514 849-5259
Téléc. : 514 849-1388

Dépôt légal – Bibliothèque et Archives nationales du Québec
et Bibliothèque et Archives Canada, 2009

ISBN : 978-2-89568-423-7

Distribution au Canada
Messageries ADP
2315, rue de la Province
Longueuil (Québec) J4G 1G4
Tél. : 450 640-1234
Sans frais : 1 800 771-3022

Diffusion hors Canada
Interforum
Immeuble Paryseine
3, allée de la Seine
94854 Ivry-sur-Seine Cedex
Tél. : 33 (0)1 49 59 10 10

★ *À Noée-C'est-Sûr, à Sans-Doute-Héloïse*
et à Peut-Être-Bien-Élie. Écoutez votre mère, là!

À PROPOS DE *BAL DES FINISSANTS*

Il aura lieu le 20 juin prochain…

★ Clara, Mirabelle, Victor, Yulia… trois filles et un garçon qui terminent leur 5e secondaire. Chacun donne son nom au livre dont il est le héros. Chacun est un peu présent dans le livre des autres.

Ils fréquentent tous l'école secondaire Cœur-Vaillant, à Montréal. Ils sont tous invités à participer au même bal des finissants, dont le thème cette année est les années 1960.

Dans ces quatre romans, on découvrira les aventures et les catastrophes, les intrigues et les coups de théâtre, les bonheurs et les calamités, bref, tous les événements qui mènent à l'« événement » de l'année : le bal des finissants. Et même si chaque roman constitue un récit complet, on voudra lire les quatre afin de tout savoir sur ce qui s'est passé cette année au bal.

PREMIÈRE PARTIE ★ AVEC CLAIRE

★ Tout ce que je demandais, moi, c'était un peu de tranquillité pour étudier en paix, et un complet noir pour le bal des finissants. Deux conditions toutes simples pour finir mon secondaire en beauté, vous savez, juste pour faire comme il faut. Mais il se trouve que la vie est plus compliquée que ça. Pas mal plus compliquée, à vrai dire, et je ne sais trop par où commencer pour expliquer comment, en l'espace de deux semaines, je suis devenu un hors-la-loi, j'ai provoqué la rupture, puis la réconciliation de mes parents, je suis tombé amoureux… Et pour le bal, c'est encore une autre histoire…

Enfin, j'imagine que ç'a commencé à peu près comme tout commence, sans grand bruit et sans qu'on se rende compte de rien, malicieusement, et un jour de l'hiver dernier, c'était là : les premières rides de ma mère, quelques longs cheveux plus gris que noirs restés pris au fond du béret, le boulot de mon père qui ne le satisfaisait plus, les problèmes d'argent, un tas de frustrations accumulées, et que sais-je encore. Depuis ses fameuses premières rides, ma mère était devenue imbuvable. Tout à ses yeux devenait matière à reproche. Elle ne se reconnais-sait plus, alors elle le faisait payer aux autres. Mon père ne voulait rien savoir de ses innombrables crèmes anti-âge et ne parlait que de ses collègues, .

qui n'avaient aucun scrupule, aucune morale ; des mouettes qui obtenaient les promotions à sa place. Un jour, ça m'a frappé : ils n'étaient plus que l'ombre d'eux-mêmes. Ils avaient cessé de parler politique, ils ne participaient plus à leurs manifs hebdomadaires, ils boudaient plutôt que de rigoler quand ils buvaient du vin, ils ne citaient plus Balzac à tout bout de champ, ils ne se révoltaient plus en écoutant les nouvelles télévisées ; ils avaient vieilli. C'est à peu près à cette période-là que j'ai arrêté d'appeler ma mère « maman » et mon père « papa ». C'est ce qui arrive quand notre sauce à spaghetti est meilleure que celle de notre mère, ou quand l'homme qui nous a appris à jouer au soccer n'arrive même plus à bloquer nos tirs de pénalité. C'est aussi à cette période-là que les grands discours quotidiens à l'heure du souper se sont transformés en bagarres ridicules, en engueulades infinies, en petits soucis qui avalaient tout.

Ça durait déjà depuis des mois le jour où j'ai annoncé à mes parents que je voulais un complet noir pour le bal :

— Un complet, Vic ?

— Appelle-moi pas Vic, Odile.

— « Odile », mon Dieu ! Je croyais jamais qu'on en viendrait là !

— Le complet, c'est important pour moi.

— Mais c'est tellement conformiste ! T'as pas envie de quelque chose de plus original ? On pourrait aller faire les friperies.

Ma mère, à l'idée de se montrer dans les boutiques, a replacé de ses longs doigts aristocratiques une mèche évadée de son chignon, qu'elle prévoyait déjà de teindre.

— Non, Odile, j'ai envie d'être conformiste. Je viens de te dire que c'est important pour moi.

— Ton fils veut un complet. Et toi, tu veux une énième crème de nuit. Moi non plus, je croyais jamais qu'on en viendrait là.

— Oh, arrête donc, Nicolas. (Elle prononçait le « c » du « donc », incapable de se débarrasser de son accent français.) Arrête donc de mépriser ta famille !

Mon père s'est contenté d'écarquiller les yeux – enfin ! son regard baignait dans la graisse de bine depuis des jours –, ce qui a justifié sa chevelure d'électrocuté, l'espace d'un instant.

Là, je me suis sauvé dans ma chambre au sous-sol sans finir mon repas. Je savais que ça ne faisait que commencer. Ils allaient boire leur vin rouge en se criant dessus jusqu'à ce qu'ils touchent le fond de la bouteille et de leur orgueil. J'allais jouer de la guitare pour couvrir les bruits. Ça n'allait pas marcher. On peut dire que c'était le début de mes soucis, à moi. On était le 8 juin.

Je venais de casser ma première corde à force de jouer trop fort quand la suite de mes problèmes est arrivée sans frapper à la porte : c'était Julien.

Julien débarque chez moi à l'improviste au moins quatre fois par semaine. Normalement, la quatrième fois, je l'accueille avec un : « Merde, t'as pas de famille ? T'as pas de vie ? Laisse-moi respirer un peu, parasite ! » Après une bonne heure de tergiversations, il rameute ses affaires – ordinateur portable, iPod, cellulaire et le reste de sa panoplie – en marmonnant un truc dépité mais sans colère : « C'est ça, rat d'égout, et tu mourras tout seul ! » Au lieu de partir, il monte à la cuisine et achève nos provisions de muffins maison à la farine bio en écoutant ma mère piailler. Ma mère qui, malgré tous ses défauts, est la seule personne – à part François Janvier, mais j'y reviendrai – capable de lui fermer la trappe, à Julien. Chaque fois qu'elle ouvre la bouche, il ferme la sienne et la regarde avec des yeux de petit-orphelin-qui-veut-qu'on-l'aime, jusqu'à ce que sa vraie mère à lui téléphone et lui ordonne de rentrer parce que « t'as vu l'heure qu'il est ?! ». On est au début de la semaine.

Mais ce jour-là, ça ne me dérangeait pas de voir Julien. En fait, j'étais bien content qu'il me parle des vidéos stupides qu'il avait trouvées sur YouTube, des pièces neuves qu'il avait installées lui-même sur son vélo, d'une pédale de distorsion que je devrais « absooolûment » m'acheter… Je l'écoutais à peine. J'essayais surtout de me concentrer à ne pas entendre mes parents qui se criaient dessus dans la cuisine, juste au-dessus de nos têtes. Le blabla de Julien arrivait mieux que ma guitare atrophiée à couvrir leur engueulade, qui était passée du complet trop conformiste à leur avenir en tant que couple. Tiens, pourquoi pas ? Je me demande s'ils se rappelaient qu'ils avaient un fils sous leurs pieds.

— Hey, Victor, tu m'écoutes ?

— Euh… non, pas vraiment. Excuse. Tu parlais de ton mal de dos?

— Quoi? Tu capotes!

— Tu disais que tu allais voir un masseur…

— T'es vraiment pas là, man, désespoir! Ma sœur, que je disais. Ma sœur! Ouvre un peu tes grandes oreilles de con quand je te parle!

— Excuse, j'ai dit. C'est juste que… Oh, laisse faire. Qu'est-ce qu'elle a, ta sœur?

Le mot est tombé comme l'annonce d'une nouvelle guerre au Moyen-Orient:

— Elle veut se sauver de la maison!

— Oh… merde…

La sœur de Julien, c'est tout un cas, aussi. Je la connaissais bien parce qu'elle réussissait toujours à se faire inviter à nos parties, même si elle avait deux ans de moins que nous. Même si elle n'avait et n'aurait jamais le droit de sortir tard. Du coup, elle était en punition une semaine sur deux, à peu près, mais elle recommençait toujours. Ses parents menaçaient de l'inscrire dans un collège privé pour filles. Ça ne changeait rien, ça empirait, même. Par exemple, quand sa mère lui a interdit de se teindre les cheveux d'une couleur « non naturelle », l'année dernière, Claire ne s'est pas contentée de désobéir: elle a poussé l'audace jusqu'à se décolorer la racine des cheveux, puis à la teindre d'un vert éclatant. Elle a prétendu que c'était sa « vraie repousse ». Elle a eu l'air d'un blaireau du futur pendant des jours, puis ses cheveux sont redevenus longs, et ça lui a laissé une sorte d'auréole fluo autour du crâne. Au début, je trouvais qu'elle se donnait beaucoup de mal pour avoir un look d'extraterrestre, mais finalement, c'était assez beau.

— Elle est sérieuse ?

— Tu connais Claire, soupira Julien. Elle est *toujours* sérieuse. Toutes ses conneries sont des conneries sérieuses. Toutes ses gaffes sont des gaffes sérieuses, toutes ses…

— O.K., j'ai compris. Et elle compte aller où ?

— Ben, c'est ça l'affaire…

Julien s'est mis à tortiller ses doigts et à suivre des yeux une mouche invisible. C'est vrai qu'il est toujours nerveux, Julien. Toujours excité par ses trouvailles ou ses projets, et en même temps stressé à l'idée de se faire chicaner par sa mère, qui est toujours sur son dos. C'est comme s'il s'attendait à recevoir une claque derrière la tête à tout moment. Ce qui fait de lui un être voûté, tremblotant, hyperactif. Mais ce jour-là, il avait quelque chose derrière la tête, et ce n'était pas la menace d'une claque. Il voulait me demander quelque chose, ça se voyait à cent milles à l'heure, et ça ne me plaisait pas du tout.

— Je… je lui ai un peu dit qu'elle pourrait venir ici…

— « Un peu » ?! Chez moi ? T'es fou ou quoi ? Qu'est-ce que tu veux que j'en fasse, de ta petite sœur ?

— Vic, *come on*, avoue que ton sous-sol, c'est l'endroit idéal pour fuguer…

— Appelle-moi pas Vic.

— … Y a de la place, une porte qui mène directement à la cour sans qu'on ait besoin de passer par la maison, une salle de bain pour toi tout seul… Tes parents te laissent faire tout ce que tu veux. En plus, je suis sûr qu'ils s'en rendront même pas compte.

Pas « rendraient », « rendront » ! J'ai voulu protester, mais c'était visiblement perdu d'avance. Julien avait déjà tout organisé. Il a même ajouté que si elle se faisait pincer, je devais nier qu'il était dans le coup. Claire faisait ses bagages en ce moment même. Le lendemain, elle irait à l'école comme d'habitude. Elle dirait à sa mère qu'elle serait en retenue pour gagner du temps, ce qui était strictement impossible en cette période de l'année, mais tout le monde était tellement habitué de savoir Claire punie que ça passerait comme une lettre à la poste. Au lieu de rester à l'école, elle viendrait directement chez moi après les cours. J'aurais juste à l'installer et à lui apporter à manger en cachette (n'importe quoi !). Et puis lui fournir un double de ma clé d'en arrière serait très apprécié aussi. (Elle pouvait toujours rêver !) À mesure qu'il expliquait son plan, un demi-sourire creusait sa joue droite. Il me réservait son dernier argument. Il était tellement prévisible, avec ses tics !

— Et puis, avec ça, ajouta-t-il en désignant le plafond, faisant référence à la querelle de mes parents qui faisait toujours rage au-dessus de nous, ça doit pas être super le fun, ici. Au moins, t'auras de la compagnie…

— Ta gueule !

Dans les dents… J'aurais voulu lui dire que ce que je voulais, ce n'était pas de la compagnie, c'était la paix. Mais il a bien fallu que j'abdique, comme toujours. Je ne peux rien lui refuser, à ce con-là. Il est tellement enthousiaste. Presque comme un chien. Je sais que c'est un peu insultant de dire ça ; peut-être que je dis « chien » parce que je veux dire « meilleur ami ».

— O.K., ai-je acquiescé à regret. Mais c'est seulement pour quelques jours, et elle doit faire ça dans les règles : donner des nouvelles à votre mère de temps en temps, faire en sorte que personne s'inquiète pour vrai, négocier son retour de bonne foi. Je veux pas avoir la DPJ sur le dos. Et si elle m'emmerde, je la dénonce à la police moi-même, compris ?

— Tu ferais pas ça.

— Tu serais surpris. Je suis super-traître. Et j'aime pas la rébellion. Ta sœur, je vais lui tirer les oreilles. Elle va se tenir tranquille, je te le garantis.

— Oui, ben, bonne chance, mon Vic. Ma sœur pis tranquille, c'est un oxymore.

— Bravo pour la figure de style. Je sais pas comment tu fais pour étudier : t'es tout le temps ici !

— Moron ! Bon, il faut que j'aille étudier, justement. Si y en a au moins un qui se tient tranquille dans la famille, ça va peut-être mettre ma mère dans une humeur moins terrible quand elle apprendra la nouvelle… Ah ! j'ose même pas y penser… À plus, Vic !

— C'est ça.

Le départ de Julien a laissé un grand silence dans ma chambre. Comme mes pensées étaient trop floues et inconsistantes pour le combler, j'ai pris le parti de me coucher tout de suite et de plonger ma tête sous les oreillers comme une autruche sous le sable. Je savais que mon sommeil — et peut-être bien davantage encore — allait être en péril durant les prochains jours. Ainsi, emmitouflé dans mes couvertures malgré la chaleur, je n'ai pas entendu ma mère claquer la porte de sa chambre en pleurant.

DEUX

★ En ce mardi, à l'école, c'était la frénésie, résultat obligé du temps splendide et de l'excitation de la fin des classes. Les élèves gambadaient entre les rangées de casiers comme des gazelles fantasques, exagérément contents de pouvoir se rendre en classe sans leurs manuels, ou même de ne pas y aller du tout. Au moins le quart des élèves de secondaire cinq passait ses journées au parc Molson plutôt qu'à l'école. Les sanctions étaient inutiles. C'était trop tard : l'année prochaine, ils auraient le *droit* de rater leur vie à leur guise. Même que ma mère (Parisienne chiante jusqu'à la moelle) avait écrit un billet à l'intention du secrétariat pour m'exempter officiellement des derniers jours de classe :

Mon fils ne sera pas victime de votre zèle bureaucratique et ne passera pas ses heures de classe obligatoires à épousseter des pupitres (vous avez des concierges syndiqués pour ça) et à perdre son temps alors qu'il pourrait profiter librement de journées au soleil. Merci d'en prendre bonne note.

Odile Bacquias

Évidemment, je ne m'étais pas encore servi de ce billet ridicule, qui montrait seulement combien ma mère pouvait gaspiller son énergie à essayer d'être cool (aussi, elle ne rate jamais une occasion de prouver son féminisme en montrant que c'est d'elle que me vient mon patronyme – du même coup, elle se flatte de sa bonne génétique et s'attribue le mérite de mes résultats scolaires). Pour ma part, j'aime bien l'école lorsqu'elle se vide un peu ; alors qu'on se sent d'ordinaire étranger dans cet univers grouillant et intimidant, on y est comme chez soi quand, à la fin de l'année scolaire, on se rend compte qu'on connaît par cœur les recoins et le personnel que nous cache la foule durant le reste de l'année. On se retrouve comme en lieu sûr.

Ma matinée s'était déroulée dans la cour à jouer au soccer avec le groupe d'éducation physique, puis dans la classe d'anglais, assis en Indien sur mon pupitre pendant que notre prof, Sam Lawhead, blondinet propret à lunettes fines et dorées, chemise Ralph Lauren et chaussures cirées, nous racontait ses années d'*English Studies* à l'Université Yale. En bon conteur qu'il était, il laissait volontairement dans son récit des zones d'ombre qui nous intriguaient et nous forçaient à poser des questions – toujours en anglais, évidemment –, auxquelles il répondait de bonne grâce en corrigeant nos erreurs discrètement, comme il en avait l'habitude, reformulant nos phrases de la bonne façon. En fait, je dis « nous », mais c'est plutôt les filles qui participaient à la discussion. Moi, si j'avais voulu faire des études en littérature, j'aurais été un peu plus attentif, mais là, son attitude de mentor qui découvre le diamant dans le roc et qui nous révèle nos grandes ambitions, je m'en foutais un peu.

    — *What class did you failed?*

    — *You're asking "what course did I fail", Rebecca? Well, to make a long story short…*

    Longue histoire qu'il était encore en train de nous raconter quand la cloche du midi avait sonné, me tirant de mon attention tranquille et me rappelant toutes les préoccupations que j'avais réussi à mettre de côté depuis le matin.

    J'avais eu une nuit agitée, trouée de phases d'insomnie et de rêves désagréables, de ceux qu'on se rappelle sans comprendre pourquoi ils nous ont tant troublé sur le coup. J'avais eu bien du mal à me lever, et j'avoue que je n'étais pas déçu de « faire mes heures obligatoires », comme me l'avait reproché ma mère au déjeuner, avec son petit ton d'objecteur de conscience, faisant complètement fi de la dispute de la veille. Mon père n'avait pas eu cette hypocrisie : en partant pour le boulot, il avait lancé un « Bonne journée, Victor » dans lequel c'était l'absence osten-tatoire du « et Odile » qu'on entendait.

J'espérais que cette journée qu'il me souhaitait bonne serait surtout longue ; j'envisageais avec terreur, il faut l'admettre, l'ambiance plombée du rez-de-chaussée, et celle du sous-sol une fois que la petite sœur de Julien serait arrivée. Ces deux circonstances réunies me laissaient entrevoir de nombreuses autres nuits d'insomnie, et cette perspective m'angoissait autant qu'elle m'irritait. À ma manière, je dois le dire, je suis un vrai paquet de nerfs, mais, contrairement à Julien par exemple, je n'en laisse rien paraître. Ce qui fait qu'on me prend pour un pilier sur lequel tous peuvent s'appuyer alors que deux heures de sommeil ratées suffisent à me rendre friable comme un vieil os.

Tout ça pour dire que, à l'heure du dîner, j'avais retrouvé mon air de loque humaine en entrant dans la cafétéria. Mais Julien est vite venu me ranimer. Il est arrivé presque en courant, a réussi de justesse à poser son plateau devant moi avant de le renverser et s'est assis avec une telle vigueur que son cul a littéralement heurté le siège dans un grand *boing!* Il n'a eu qu'une brève secousse ébahie avant de se mettre à jaspiner comme si de rien n'était. Comme s'il préparait son effet depuis quinze minutes et qu'il avait trop hâte de m'impressionner.

— Tu sais quoi ?

Je lui ai lancé un regard ironiquement captivé.

— Ils vont me laisser faire les projections au bal !

— Qui, « ils » ?

— Ben, François Janvier, qu'est-ce que tu crois ?

Ah ! François Janvier ! Ce fendant fini qui avait le monopole de la popularité depuis le secondaire un et qui dirigeait de sa patte souveraine à peu près toutes les activités parascolaires. Le pluriel qu'avait employé Julien n'était pas fautif : Janvier en faisait toujours pour dix, ou alors il s'entourait d'une petite cour d'amis, de servants et de groupies qui se collaient à lui comme des mouches sur une toile d'araignée. Ça ne m'étonnait pas trop de voir Julien se prendre dans ses filets.

— C'est super, Ju. J'aurais seulement souhaité que ce soit lui qui te supplie de faire le V.J. plutôt que l'inverse. En tout cas, tu vas leur en mettre plein les yeux, c'est sûr !

Je ne pouvais quand même pas ruiner son enthousiasme, alors j'ai laissé de côté ma hargne envers son nouvel « employeur ». De toute façon, la meilleure façon de cesser de broyer du noir, c'était sûrement de participer à la grande fête qui avait lieu dans sa tête.

— Oh, ça va être tellement cool, ça fait des mois que je ramasse des images un peu partout sur le Net ! J'ai trouvé de vraies perles : des vieux vidéoclips des années soixante, des pubs pas crédibles, des motifs psychédéliques, des extraits de films de série B… On va projeter mon montage sur le mur du fond de l'agora. Tu sais ce que ça veut dire ?

— Euh… que la prochaine étape pour toi, c'est partir en tournée avec Daft Punk ou Hot Chip ? Que tu vas devenir le V.J. numéro un, que ton nouveau statut de superstar va te faire rencontrer les plus belles filles de la planète et que tu vas enfin devenir le dragueur invétéré qui couve en toi depuis ta puberté ?

— Hum, presque, champion ! Ça veut dire que j'ai une excuse en béton pour aller au bal tout seul, sans cavalière. Alors les Mélodie, Béatrice, Marie-Julie, Maude et compagnie qui m'évitent quand je les approche parce qu'elles ont peur que je les invite, eh bien je leur dis merde et re-merde, et tant pis pour elles !

Ça, oui, ça devait être un grand soulagement pour Julien. Je pense qu'il a commencé à se chercher une accompagnatrice pour le bal il y a trois ans ! J'ai toujours trouvé hallucinante toute cette dépense d'énergie pour se matcher. C'est une véritable contagion, au secondaire, et ça empire avec le bal en ligne de mire. Sûrement parce que tous les livres pour adolescents ne nous parlent que d'amour, de romance, de « premières expériences » et de toutes ces niaiseries. Du coup, ça marche, on y croit, on pense que c'est important, on en fait une quête, on devient littéralement obsédé et, comme dans le cas de Julien, on est souvent déçu. Et si on n'a pas envie d'être amoureux, on essaie quand même, juste pour s'entraîner, on dirait, ou pour faire comme les autres. Dans la cafétéria, on s'assoit à côté de la fille qu'on considère, sinon la plus intéressante, du moins la plus jolie, ou plutôt la *moins pire*. On fait pareil dans l'autobus, dans les fêtes, pendant les cours, on finit par en repérer une qu'on voudrait bien embrasser, juste pour voir. C'est souvent celle qu'il ne faudrait pas choisir, précisément, parce qu'elle, elle ne veut rien savoir. Faire tant d'efforts pour trouver quelqu'un, et en faire autant pour être certain que tous nos plans vont foirer, c'est vraiment ce qui nous anime, on dirait! Les filles font pareil, évidemment, mais elles prennent ça encore plus à cœur, elles y mettent du sentiment. Tôt ou tard, elles se rendent compte qu'elles se trompent, elles pleurent comme si c'était la fin du monde, et elles recommencent avec quelqu'un d'autre. Mais je ne sais pas ce qui est pire: faire semblant d'y croire ou draguer à la légère, comme plusieurs gars que je connais, François Janvier en tête.

— Toi, d'ailleurs, tu t'es trouvé une fille?

— Me trouver une fille?! T'entends ce que tu dis? Comme si ça se magasinait! Je vais commencer par me trouver un complet, ça va déjà être quelque chose.

— Pff… un complet, tu veux dire veston, cravate et tout? Ça doit pouvoir se régler assez facilement.

— Tu sais combien ça coûte? Je travaille pas, et c'est pas avec mon argent de poche que je vais pouvoir me payer ça!

— Et ta mère?

— Elle me fait croire que c'est parce qu'elle trouve ça trop conformiste qu'elle veut pas m'en acheter un. Elle voudrait me prouver que j'aurais l'air plus *in* si j'allais au bal en pyjama, je pense! Mais elle est cassée, c'est ça, la vraie raison.

— Ha ha ! En pyjama ! Est drôle, ta mère, a ponctué Julien avec un ton admiratif, les yeux dans le vague.

— Très drôle, oui. En tout cas, je risque pas de rencontrer la fille de ma vie en me déguisant comme un clown. C'est pas sérieux, ça.

— Cou' donc, monsieur Sérieux, c'est qui, la femme de ta vie, pour que tu t'en fasses à ce point pour un complet ?

— Personne, faut croire. Change de sujet.

Julien ne croyait pas que j'avais été dupe, j'espère : j'avais dit « fille », et il avait dit « femme »... Je savais très bien où il voulait en venir, le finaud !

Il a fait mine de rien et a piqué énergiquement de sa fourchette le dernier bout de poulet qui restait dans son assiette en plastique. Il avait tout englouti sans que je m'en rende compte, alors que moi, j'avais à peine touché à mon lunch.

Julien m'a scruté avec une moue attentive et préoccupée, puis a secoué la tête.

— Tu broies du noir, mon gars, tu ronges ton frein, tu files un mauvais coton, ça se voit tout de suite. Tu serais pas en train de songer à laisser tomber notre *deal*, Vic ? Tu me ferais pas ça à moi...

— Ben non.

Ben non, je n'étais pas en train de penser à laisser tomber, mais plutôt à combien j'avais été con d'avoir dit oui en premier lieu. Des pensées qui étaient autant de claques sur ma propre gueule. Pauvre Victor ! Pauvre idiot : tu vois un piège et tu te jettes toujours dedans ! Tu t'enfarges pas dans les fleurs du tapis : tu pousses dedans, tu y prends racine !

On s'est levés, Julien trépignant, moi comme un zombie, et on est sortis dans la cour d'école se trouver un petit coin d'ombre sous un arbre. Il restait encore plus d'une demi-heure à notre pause, et l'ambiance de la cafétéria, avec tous les caquètements des élèves et le vacarme des ustensiles dans les cuisines — les « madames de la café » ne donnent pas dans la délicatesse —, me tapait royalement sur les nerfs. Je pense que Julien a voulu faire preuve d'un peu de compassion pour ma morosité puisqu'il s'est tenu tranquille jusqu'à la cloche. Il s'est adossé au tronc d'arbre et a sorti de son sac à dos un gros livre dans lequel il s'est plongé avec une pieuse attention : *Final Cut Pro pour les nuls*, un manuel de montage vidéo qui était son livre de chevet. Moi, j'ai fermé les yeux pour essayer de dormir, mais je n'y suis pas arrivé.

Comment définir le sentiment mauvais qui me taraudait depuis la nuit précédente ? C'était comme une insécurité qui me faisait serrer les mâchoires et accélérer le cœur, qui me donnait des envies de cris et de silence en même temps. Mais c'était surtout un sentiment d'impuissance, puisqu'il semblait totalement sans objet. Peut-être une émotion beaucoup trop forte pour le contexte, pas si dramatique, en somme : j'allais avoir de la visite, c'est tout. Mais ça me rappelait la fois où j'avais regardé pendant des heures un moineau qui était entré dans la maison et qui se heurtait partout contre les murs, battant des ailes, paniqué, avec un furieux bruit de papier froissé. Il n'arrivait plus à trouver la sortie, même après que j'ai eu ouvert toutes les portes et les fenêtres. C'était idiot, je n'y pouvais rien, mais ça me faisait comme mal de le voir, je ne sais pas trop pourquoi...

J'ai été content quand la cloche a sonné. La plupart des gens ont eu l'air de ne pas l'entendre et sont restés étendus sur le gazon devant l'école. Julien a rangé son livre avec dépit et s'est levé comme un ressort, pas très solide sur ses jambes maigres qui avaient eu le temps de s'engourdir, et il m'a brièvement salué avant de s'en aller vers l'entrée. Mais après quelques pas, il s'est soudainement retourné et m'a fait signe de le rejoindre.

— Je te verrai pas avant ce soir. Alors on fait comme on a dit. Tu-sais-qui sera là vers quatre heures, cinq pas plus tard. Moi, je vais essayer de passer vous voir dans la soirée, mais comme ma mère sera peut-être déjà énervée – on sait jamais –, elle va peut-être m'obliger à rester à la maison pour étudier. Les examens, ça la stresse plus que moi, tu le sais. En tout cas je t'appelle. O.K. ?

— O.K., Julien.

— Merci, hein ? T'es vraiment plus gentil que t'en as l'air !

Et il est parti à la hâte, parce qu'il a toujours peur d'arriver en retard. Moi, j'ai marché tranquillement jusqu'à ma classe de maths, en passant par mon casier pour prendre mon manuel, au cas où ça en vaudrait la peine. Je me disais que si j'apprenais quelque chose de nouveau dans ce cours, ce serait une bonne leçon pour ma cynique de mère, et que je me ferais un plaisir de lui réciter un théorème tout frais au souper. Ça ferait changement. Mais comme je m'y attendais, on n'a fait qu'une simple récapitulation de la matière de l'examen, et on a subi pendant une heure les questions ineptes de quelques camarades qui, bien qu'ils soient tous parmi les premiers de classe, ont une sorte d'insécurité téteuse et veulent confirmer leurs connaissances à chaque occasion. On voyait que le prof se sentait complètement inutile, qu'il était conscient qu'on savait déjà par cœur les réponses qu'il nous donnait, et que tout ça ne servait strictement à rien. Au fond de la classe, je lisais un roman de Lovecraft en attendant le cours suivant. Dans ses livres aussi, on se demande toujours ce qui cloche.

* * *

Valérie Béjar, elle, n'allait pas nous décevoir, au moins. Son cours d'histoire était toujours génial. Je l'avais eue en secondaire un et en secondaire trois, dans les cours obligatoires, et j'avais pris cette année « Histoire du xxᵉ siècle », qui était optionnel, juste parce que je savais que c'était elle qui l'enseignait. Quand elle parlait, c'est drôle, c'était comme si notre programme habituel était interrompu par un bulletin spécial : ce n'était jamais plate, on ne voulait rien manquer. On était pendus à ses lèvres comme si elle était la gardienne d'un grand secret qu'elle s'apprêtait d'une minute à l'autre à nous révéler. Enfin, moi, je l'étais ; beaucoup de monde la trouvait ennuyante, trop volubile, pas assez divertissante. C'est vrai que d'autres profs faisaient des efforts inouïs pour rendre leurs cours dynamiques, y allant de quiz et de mises en situations que je trouvais pour ma part plutôt infantilisants. Valérie Béjar livrait la matière simplement, sans nous faire jouer à des jeux débiles, mais avec tellement de passion qu'on était forcément captivés. J'y serais resté des jours entiers, dans sa classe dont les murs bleus étaient couverts de cartes géopolitiques, à l'écouter nous parler du siècle dernier comme si elle en avait vécu une bonne partie, ce qui était strictement impossible puisqu'elle paraissait toute jeune — pas beaucoup plus vieille que moi, pensais-je, dix ans au pire.

Elle n'avait pas cédé à la fièvre de l'été. Elle se tenait droite devant les quelques élèves présents, ses cheveux blonds coupés au carré tombant comme toujours impeccablement sur ses épaules fines et, contrairement à tous les profs qui avaient troqué les pantalons à plis contre les bermudas depuis déjà deux semaines, elle portait des vêtements sobres et élégants : pantalons en lin, tricot léger sous lequel on pouvait deviner une camisole beige. Une des rares enseignantes de Cœur-Vaillant qui n'avait pas l'air d'une touriste égarée !

Comme elle avait été trop bavarde durant l'année et qu'elle s'était étendue un peu trop longtemps sur les premiers chapitres du programme, elle n'avait pas eu le temps d'en couvrir la dernière partie, celle qui devait traiter entre autres de Mai 68, puis de la chute du mur de Berlin. Ce cours-là serait un condensé de la matière, juste ce qu'il faudrait pour être en mesure de répondre à la mince portion de l'examen qui y serait consacrée.

— Je me place dans la position d'une pédagogue sprinter et je déteste ça.

— Une quoi ? a fait Jonathan du fond de la salle, mais Valérie ne l'a pas entendu.

— D'autant plus que la période de Mai 68 est ma spécialité. J'ai passé deux longues années de ma vie à faire des recherches sur ces événements, et je dois aujourd'hui vous les résumer en une heure : c'est une vraie torture, croyez-moi. Alors inutile de suivre le manuel dans ces conditions. Laissez-moi plutôt vous présenter le petit-fils d'une des héroïnes de Mai 68…

À ce moment-là, tout le monde a regardé vers la porte, s'attendant à ce que Valérie l'ouvre sur un invité-surprise, une sorte de bonbon offert aux quelques élèves zélés qui assistaient à son dernier cours. Mais elle s'est plutôt dirigée vers mon pupitre et, posant ses deux mains sur mes épaules, elle a annoncé, triomphante :

— J'ai nommé M. Victor Bacquias !

Les murmures étonnés de mes camarades ont rempli la classe et tous les visages se sont tournés vers moi, certains inertes, d'autres franchement amusés, attendant la suite. Ça, pour le coup, je ne m'y attendais pas ! Je déteste être montré du doigt ; j'étais pétrifié, incapable de faire taire Jonathan qui, derrière moi, lançait des « ouh ! ouah ! » baveux. À ma gêne d'être sur la sellette s'ajoutait celle de sentir les mains de Valérie Béjar, que je voyais du coin de l'œil, s'attarder sur mes épaules un peu trop longtemps, je ne sais pourquoi. Pour m'en débarrasser, comme un con, je me suis levé et j'ai pivoté pour me présenter au groupe tout en faisant un petit salut, provoquant cette fois l'hilarité de mon camarade du fond de la classe.

— Bac-quias, Bac-quias, Bac-quias ! scandait-il sans s'arrêter.

* * *

Les élèves sortaient du local par pelotons, les derniers tentant discrètement de voir si j'allais rester derrière eux, ce que j'ai été obligé de faire, évidemment. Valérie Béjar était assise à son bureau et rangeait des papiers dans son cartable, peu pressée de partir, sachant bien que j'aurais quelques questions à lui poser. Elle attendait juste que je décide du bon moment, où tout serait calme, où j'oserais enfin prendre la parole, puisque c'était à moi de le faire. Je me suis planté devant elle avec mon sac sur une épaule et j'ai commencé par la phrase que je jugeais la plus normale, la plus plausible :

— Je savais pas que vous connaissiez ma grand-mère.

— Victor, depuis le temps qu'on se connaît, je crois qu'on peut se tutoyer, tu ne trouves pas ?

— Je savais pas que tu connaissais ma grand-mère, ai-je répété stupidement.

— Oui, j'ai mis beaucoup trop de temps à la trouver. Si j'avais été en contact avec une femme comme elle dès le début de mes recherches, je te jure que j'aurais moins tourné en rond. Si tu savais à quel point elle a pu m'aider dans mes travaux, c'est tout simplement inestimable !

— Juste à cause de son journal ?

— Grâce à son journal, oui, bien sûr. J'ai rarement lu des documents aussi pertinents et lucides écrits au moment même où se déroulaient les événements qu'ils racontent. Tu sais, ça prend en général beaucoup de recul pour comprendre l'histoire. On ne sait presque jamais ce qui va rester ou ce qu'on comprendra d'un événement dans le futur quand on est pris dedans, quand on en est témoin ou, plus encore, quand on en est un des acteurs. Ta grand-mère avait cette qualité d'être consciente de ce qu'elle faisait.

J'étais soulagé que Valérie parle autant sans exiger que je relance moi-même la conversation. Ça m'évitait de poser des questions, et éventuellement de paraître idiot devant elle. Par bonheur, quand elle parlait avec passion comme ça, elle semblait ne pas voir son interlocuteur du tout. Insultant ? Non, pratique.

— Et aussi, elle a tout compilé, tout sans exception. Son journal est un réservoir infini de renseignements. Elle a gardé les coupures des journaux que ses amis de combat avaient annotés, a décrit minutieusement toutes les activités de la troupe, a commenté scrupuleusement les bulletins télévisés ; elle a tout vécu de l'intérieur, mais avec une clairvoyance exceptionnelle.

— C'est une journaliste, alors. Pas vraiment une héroïne…

Valérie, comme si je l'avais personnellement insultée, s'est enflammée :

— Là, tu te trompes, Victor. Lucille Bacquias est une héroïne parce qu'elle s'est battue pour défendre ses idéaux. Elle s'est battue avec un acharnement et une force qu'on rencontre rarement dans la vie de nos jours. Quand plusieurs de ses camarades s'étaient déjà retranchés parce qu'ils avaient la trouille, elle a continué. Elle était présente durant les affrontements les plus violents et les plus cruciaux contre la police. Écrire ce journal, ce n'était pas qu'un passe-temps, je te le dis : c'est un vrai chef-d'œuvre. Une chance que ses amis intellectuels du Centre universitaire expérimental de Vincennes ont eu la bonne idée de conserver ses documents et de les archiver. Quelle perte ç'aurait été, sinon !

Puis, se rendant compte qu'elle en mettait un peu, je veux dire, qu'elle parlait un peu fort pour rien, elle a baissé le ton et a poursuivi :

— Lorsque je l'ai rencontrée, à Paris, nous nous sommes tellement bien entendues que nous avons entretenu une correspondance pendant plusieurs années. Avec mon travail, maintenant, et son grand âge, ce n'est plus si simple de maintenir le contact, mais elle m'envoie toujours des vœux à Noël, et moi de même.

— Vous l'avez… euh… tu l'as rencontrée ? Quand je pense que ça fait des années que je ne l'ai pas vue moi-même !

— Je donnerais beaucoup pour la revoir. Victor, tu es assez grand pour voyager seul, maintenant, et à ce que j'ai compris, tes parents ne s'opposeraient sûrement pas à ce genre de projet. Tu veux un conseil ? Vas-y, à Paris ! Lucille est très vieille et elle doit être bien triste de ne pas te voir plus souvent. Elle a eu une vie tellement riche, elle doit avoir des tas de choses à te raconter. Puis aujourd'hui, elle ne peut plus être aussi active qu'elle l'a été auparavant. Un peu de jeunesse auprès d'elle, ça la désennuierait. Ce serait une vraie inspiration pour toi, je te le dis. Tu as de quoi être fier des Bacquias, Victor.

— O.K., O.K. ! J'ai compris ! l'ai-je interrompue.

Cette phrase... ma mère me l'avait répétée un nombre incalculable de fois, mais sous la forme impérative : « Sois fier des Bacquias, Vic. » Je n'y avais jamais autant prêté attention qu'aujourd'hui, sous le regard illuminé de Valérie Béjar. Pour plusieurs raisons un peu floues et dont je préfère ne pas parler, je n'aimais pas vraiment penser que Valérie et ma mère étaient sur la même longueur d'onde. Valérie semblait si bien connaître ma grand-mère que j'avais l'impression de m'être découvert une lointaine cousine, et associer ma prof à la famille m'était assez désagréable. Ça ne collait pas. Surtout que ça se faisait par le biais de Mai 68, dont mes parents me parlaient à toute occasion. Pour moi, crier des slogans, gribouiller quelques graffitis, lancer des pavés sur les voitures de police, ça m'apparaissait d'une vaine barbarie. Réclamer la libéralisation des mœurs à grands cris, c'était une utopie d'écervelés gâtés qui n'avaient réussi qu'à manquer l'école pendant un mois ! « Sois fier des Bacquias, Victor Bacquias », voilà ce que je me répétais intérieurement, bouche bée, devant Valérie qui semblait attendre que je descende des nuages, son sac sur les genoux. Alors, j'ai eu un flash.

— Merde ! Je veux dire, mince ! J'ai rendez-vous. Pas avec une fille… je veux dire… C'est une fille, mais c'est juste… Il faut que j'y aille, on m'attend.

— Reviens quand tu veux, Victor. On pourra en reparler, si ça te tente.

L'invitation était trop belle. Trop belle pour que je ne la gâche pas avec la première niaiserie qui m'est sortie de la bouche toute seule :

— Je sais pas ce qu'il y aurait de plus à dire. Bye !

« Je sais pas ce qu'il y aurait de plus à dire », vraiment ! J'aurais voulu me la mettre à dos, j'aurais pas fait mieux. Elle venait de me consacrer sa fin d'après-midi et tout ce que je trouvais à faire, c'était de lui couper le sifflet alors que ma seule envie était de rester là, en vérité, quitte à changer de sujet. Je lui ai tourné le dos tout de suite pour éviter de voir sa réaction et je me suis littéralement enfui.

Les couloirs de l'école étaient encore plus déserts que durant la journée, si ça se pouvait, ce qui m'indiquait qu'il devait être assez tard. Combien de temps avais-je écouté Valérie ? Il pleuvait, le ciel était noir comme chez le loup ! Il était impossible de savoir si le soir était déjà là ou si j'avais encore une chance de rentrer chez moi à temps. Moi qui déteste être en retard ! J'ai enfourché mon vélo et j'ai pédalé, vite (« le diable au corps » serait l'expression juste, maintenant que j'y pense).

* * *

À la seconde où j'ai posé le pied dans la cour, hors d'haleine, j'ai vu Claire qui, trempée jusqu'aux os, se cachait tant bien que mal derrière un buisson bordant le mur de briques. Il s'en fallait de peu pour que ses sacs kaki ne se confondent totalement avec la boue et la pelouse humide dans laquelle ils avaient baigné pendant probablement une demi-heure, peut-être plus. Mais malgré ce camouflage aussi zélé que raté, je n'ai pas pu manquer d'apercevoir, au premier coup d'œil, les pétales blancs de son t-shirt qui scintillaient entre les branches. Je ne sais pas pourquoi, je me suis senti comme si c'était moi qui essayais de me cacher et qui avais été surpris. J'ai traversé la cour avec l'allure de celui qui s'esquive en douce, j'ai cadenassé mon vélo à la clôture, contourné la terrasse et atteint la porte-patio du sous-sol en m'efforçant de ne pas regarder vers le buisson. À quoi est-ce que je m'attendais ? Elle n'allait sûrement pas rebrousser chemin et rentrer chez elle parce que je l'avais ignorée ! Non, je pensais probablement qu'elle allait tenter d'attirer mon attention subtilement en chuchotant mon nom deux, trois fois, que j'aurais le temps de me composer une réaction adéquate… Au lieu de ça, quand elle a vu que je déverrouillais la porte et que j'allais entrer sans elle, Claire a tout simplement crié, de la même manière qu'un chat dont on marche sur la queue :

— Ici !

J'ai sursauté.

— Quoi ? Oh, Claire ! T'es là.

Claire était là. Elle a fait une moue méprisante et a ramassé ses sacs avant même que j'aie eu le temps de faire mine de l'aider. D'un pas décidé, elle m'a devancé à l'intérieur et a jeté par terre tout son bagage, qui est tombé en même temps qu'un long soupir exaspéré sur la carpette à côté de mon lit.

— Mets rien là-dessus, s'te plaît.

Ça, c'est la première chose que je lui ai dite. Bienvenue chez nous !

— C'est parce que c'est un tapis qui a appartenu à ma grand-mère. Il y a une salle de bain là, si tu veux te changer. T'as apporté des vêtements de rechange, j'imagine ?

Là, Claire a vraiment dû me prendre pour un épais. En fait, je sais que Claire m'a pris pour un épais, puisqu'elle me l'a dit :

— Maudit épais, qu'est-ce que tu penses ? Que j'ai apporté des plantes vertes et des boules de pétanque ? Y a-tu des serviettes, dans ta salle de bain ?

— Non. Y a des plantes vertes, par exemple.

Elle s'est enfermée pendant quinze minutes, juste le temps que je rassemble mes esprits et que j'installe le matelas de camping, au terme de quoi j'avais encore mon sac d'école sur le dos et des problèmes sur la conscience.

TROIS

★ — Combien de temps tu vas rester ?

Claire, qui sortait à peine de la salle de bain en s'épongeant les cheveux avec une serviette, s'est interrompue, les bras levés comme en état d'arrestation. Elle a haussé un sourcil contrarié, ce qui annonçait des tornades, je m'en doutais bien, mais elle s'est adoucie en reprenant le séchage de sa volumineuse crinière. Comme son frère, elle avait pris le parti de me ménager. Une chance.

— Relaxe, Victor ! Ma mère me laissera certainement pas manquer les examens. Je vais pouvoir négocier serré et rentrer avant la semaine prochaine.

J'ai senti une démangeaison soudaine dans mon cou.

— La semaine prochaine ?! Ça fait six jours, ça ! Et puis, comment tu veux qu'elle négocie, si t'es même pas là ?

— Oh, je me suis arrangée, tu vas voir… a-t-elle fait en m'adressant un clin d'œil et en posant un bref instant la main sur une hanche.

Ça, c'était un geste qui lui ressemblait. Elle avait toujours des mouvements vifs comme ça, chacun semblait en préparer un autre. Même son visage en forme de fraise, avec sa lèvre supérieure un peu plus charnue que l'autre, ses grands yeux verts d'insecte et leurs longs cils, ses narines, ses sourcils épais… C'était une espèce de paysage dynamique comme secoué par un grand vent. Elle clignait souvent des yeux.

— Une amie à moi va porter des messages à ma mère en cachette pour qu'elle s'inquiète pas trop, et surtout pour qu'elle prenne connaissance de mes revendications. Quand elle aura cédé aux plus importantes, je vais rentrer gentiment.

Des « revendications » : c'était la meilleure ! Claire parlait de sa fugue comme d'une grève en bonne et due forme, et elle décrivait sa mère comme un employeur tyrannique. Décidément, l'exagération, c'était de famille, chez les Prévost. Julien ne parlait qu'avec des superlatifs, lui aussi, que ce soit d'un concert rock ou d'une semelle qui se décolle. Enfin, je me suis dit que j'allais lui apprendre la mesure, moi, si jamais elle dépassait les bornes.

— Et lui envoyer simplement des courriels, tu y as pensé ?

Claire a émis un petit rire conciliant.

— Oui, je sais que faire jouer mon amie au pigeon voyageur, c'est un peu passé de mode. Mais c'est Julien qui m'a convaincue. Ma mère est assez folle pour demander à la police de retrouver une adresse IP à partir d'un message et d'envoyer une escouade ici.

À mon air interloqué, elle a répondu :

— Je te jure que c'est vrai. Tu la connais pas.

— Bon, si tu le dis. Moi, en tout cas, j'attendrai pas la semaine prochaine pour penser aux examens. J'ai l'intention d'étudier chaque soir et de me coucher tôt pour être en forme, l'ai-je avertie d'un ton ferme, et franchement risible, à voir sa tête. J'imagine que tu t'étais prévu un emploi du temps bien chargé, mais j'ai des petites nouvelles pour toi : si tu restes ici, tu vis à mon rythme.

— Wow ! Ce sera pas des vacances, dis donc !

— Ah, tu veux te sentir en vacances ? Regarde le beau matelas de camping que je t'ai installé. Attention, d'ailleurs, ça sent la fille depuis que t'as pris ta douche, ça va attirer les moustiques… Eh, c'est vrai, ça, mes parents vont trouver ça louche s'ils descendent.

— Je peux fumer un joint pour masquer l'odeur, si tu veux.

— Euh…

Comme par magie, mes démangeaisons ont repris.

— C'est une joke. *My God*, t'es pas drôle longtemps, toi !

— Pour le matelas, c'est que… Ben, j'ai besoin de bien dormir, pour vrai, sinon j'ai l'air de rien. Si j'ai pas passé une bonne nuit de sommeil, je deviens irritable, et en plus j'ai de la misère à me concentrer. Et aussi, j'ai des problèmes de dos… Je compte aller à l'école et travailler, moi… Mais je suis sûr que tu vas être bien. On a deux matelas, je t'ai donné le plus épais.

Claire a encore réprimé un haussement de sourcil. Et au lieu de me faire la grimace, comme je m'y attendais, elle a arboré un doux et large sourire, a lancé sa serviette d'un grand geste et a secoué la tête, autour de laquelle ses longs cheveux bruns ont repris leur place en une cascade luisante. Après un très peu sincère « T'es trop bon, Victor », elle a soufflé sur une mèche entortillée qui lui pendait devant les yeux et a ramassé en vitesse la serviette qui avait atterri sur le tapis ancestral. Pas très loin du réveille-matin.

— Six heures ! Ma mère a probablement déjà prévenu le FBI de mon absence, a tout bonnement enchaîné Claire, donnant l'impression qu'elle se parlait toute seule.

Puis, elle s'est penchée et a entrepris de sortir ses vêtements de son sac. Ils étaient tout froissés. Accroupie dos à moi comme si je n'existais pas, elle les prenait un par un, les lissait consciencieusement, les pliait et les rangeait dans un coin près de la commode. J'ai remarqué qu'elle plaçait systématiquement ses sous-vêtements en dessous et ses morceaux plus « neutres » sur le dessus de la pile. Elle fait ça pour que mes parents pensent que ce sont *mes* vêtements, ai-je pensé, et d'un coup mes démangeaisons ont cessé. Si j'en croyais ce que je voyais dépasser de ses jeans taille basse, c'était une précaution assez inutile : sa petite culotte ressemblait plus à des boxers de garçon, avec un large élastique plissé et un motif de camouflage kaki. Moi qui pensais que toutes les filles portaient de minuscules culottes de dentelle, comme Isa, avec qui j'étais sorti quelques semaines – pas plus ! – l'an dernier. Pas que j'avais passé beaucoup de temps à imaginer les sous-vêtements de la sœur de mon meilleur ami ! C'était juste comme ça, un constat...

— O.K., G. I. Jane, je vois que tu fais déjà comme chez toi. Pas de gêne, surtout. Bon, il faut que j'aille en haut rappeler à mes parents qu'ils ont un fils.

Claire a tourné la tête vers moi et m'a lancé un regard par-dessus l'épaule qui voulait dire « Mais de quoi tu parles, mon gars ? ».

— Ça doit bientôt être le temps de souper, mais je suis certain d'avoir une bonne excuse pour finir de manger dans ma chambre. Je t'apporterai quelque chose.

A-t-elle souri pour vrai, cette fois ? Je me suis sauvé trop vite pour voir.

* * *

Ce qui m'attendait en haut, j'avais tenté de l'imaginer en détail pour pouvoir répliquer rapidement à l'attaque. Mais c'est un silence total qui m'a accueilli dans la cuisine. Un silence lourd, plus déconcertant que toutes mes prédictions. Ç'a pris au moins une longue minute avant que mes parents se rendent compte de ma présence. Ma mère coupait des crudités avec une vigueur assassine qui faisait froid dans le dos. Mon père jetait les couverts sur la table comme on joue aux fléchettes.

— Je suis là, ai-je dit, croisant les doigts en espérant avoir donné le ton.

— Oh, allô, Vic, ont-ils répondu d'une voix atone tous les deux.

Puis ils sont retournés à leurs tâches respectives, honteux d'avoir dit la même chose en même temps, comme si ça pouvait contre leur gré faire d'eux un couple uni. Ils se sont regardés en chiens de faïence et ç'a explosé d'un coup. Ils attendaient un spectateur.

— Si tu lui achètes ce complet malgré tout, je te jure que c'est fini. Fini, t'as compris ?

— Hey, Odile, j'ai rien dit, moi !

— Victor, t'as rien à voir là-dedans. C'est entre ta mère et moi.

C'était trop dégueulasse : ils menaçaient de se séparer pour un complet, *mon* complet, et je n'avais même pas mon mot à dire ! Alors moi aussi, j'ai explosé. Je ne sais pas si c'est le stress accumulé, ou l'exemple de rébellion que j'avais en représentation privée au sous-sol, ou une poussée d'hormones, ou la perspective de me pointer au bal habillé comme un clochard, mais en tout cas c'est sorti, et tout de travers :

— Bon ben, Nicolas, tu sais comment agir pour faire d'une pierre deux coups et rendre une famille heureuse : tu m'achètes mon complet et Odile sacre son camp !

— Vic !

C'est mon père qui venait de s'exclamer. Odile a lâché son couteau dans l'évier et il y a eu un grand bruit violent, presque aussi violent que ce que je venais de crier. Son menton tremblait, ses yeux se remplissaient d'eau. Mon père s'est laissé tomber sur une chaise et s'est pris le front à deux mains en murmurant :

— C'est odieux, ce que tu viens de dire, Victor. Je suis désolé qu'on t'ait poussé à ça.

Puis, après une longue pause durant laquelle j'ai eu le temps de prendre la mesure de mes paroles, il a ajouté :

— Tu l'auras pas, ton complet. N'y pense même pas.

Odile a poussé un gémissement et des larmes ont roulé sur ses joues. Elle voyait bien que ça ne réglait rien, rien du tout, à leur conflit. En hoquetant, incapable de me regarder dans les yeux, elle a expliqué :

— On n'a pas les moyens, Vic. Comprends-tu ? Et puis… c'est pas seulement ça.

— On est plates, vieux, cons et pauvres, Odile. Y a pas de crème pour couvrir ça !

Les joues enflammées de ma mère auraient fait bouillir ses larmes, je le jure. Moi, je me tenais planté là, sur un pied puis sur l'autre, les bras ballants. Pour faire quelque chose, j'ai pris les couverts qui restaient et je les ai disposés sur la table. Mais, pragmatique, je me suis ravisé. J'ai repris une des fourchettes, j'ai traversé la cuisine en deux enjambées déterminées, j'ai écarté ma mère de ses casseroles et je me suis servi une louche, deux louches, trois louches de pâtes. Chaque fois, l'ustensile de métal frappait le bord de l'assiette avec plus de force, menaçant de faire exploser la porcelaine. Mes parents me regardaient, les yeux ronds, et j'ai pensé : ils ne savent pas s'ils doivent s'étonner de mon appétit ou de mon attitude.

— Vous vous doutez bien que je vais pas manger avec vous après ça.

Avant qu'ils aient pu réagir, j'ai dévalé l'escalier et claqué la porte. Mon cœur battait comme lorsqu'on est en colère et qu'on a envie de donner des coups. J'éprouvais une frustration immense, surtout celle de ne pas me reconnaître dans mes propres actions.

Claire – avait-elle entendu tout ça ? – me dévisageait d'un air compatissant. Elle avait fini de ranger ses affaires et était assise en Indien, se tournant les pouces, complètement désœuvrée. Je me suis rendu compte combien l'inaction qu'elle s'infligeait devait lui être pénible.

— Tiens, on va être obligés de partager.

Je n'avais descendu qu'une fourchette. Pour ne pas avoir à décider qui de nous deux mangerait le premier et déterminerait la part de l'autre en s'arrêtant au moment voulu, j'ai pris une bouchée et lui ai tendu le plat. En alternant, comme ça, ce serait égal.

— Ça te dérange si je laisse de côté le prosciutto ? Je suis végétarienne…

J'aurais aimé en débattre pour me changer les idées, mais :

— Non, ça me dérange pas, que j'ai dit la bouche pleine.

— On devrait peut-être se pousser… Le tapis…

Claire a débarrassé ma table de chevet et l'a tirée jusqu'au centre de la pièce, où le parquet était découvert. Comme la table était un peu haute pour des gens assis par terre, on devait se tenir bien droit si on voulait se voir le bout du nez, c'était un peu bizarre. Cela m'a bientôt demandé trop d'efforts de me redresser, de poser une question juste assez longue pour qu'elle ait le temps de mâcher, reprendre la fourchette pendant qu'elle répondait... Ce n'était pas reposant. Surtout que, dans le fond, je ne faisais que tendre l'oreille vers le rez-de-chaussée dans l'espoir de capter les développements de la lutte Bacquias contre Thérien. Claire répondait à mes questions en chuchotant, comme pour ne pas interférer avec « l'autre spectacle ». Mais à un moment donné, elle a poussé l'assiette de mon côté et a coupé court à ce manège :

— Tu sais, Victor, je pense que tu devrais te battre. Pour le complet, je veux dire. C'est sûr que c'est pas une cause aussi noble que... disons la fin de la guerre en Irak ou la gratuité de l'éducation, mais si tu y tiens, il faut pas que tu lâches le morceau. Ce qui arrive entre tes parents, ç'a rien à voir. C'est juste un prétexte. Il faut qu'ils comprennent.

— T'es bien au courant, je trouve.

— Qu'est-ce que tu penses ? On entend tout, d'ici. Pourquoi tu crois que je chuchote depuis tout à l'heure ?

— T'as peut-être raison... Mais quand je te disais de faire comme chez toi, je voulais pas dire de te mêler des affaires de la famille. J'ai déjà assez de mes profs qui le font, ai-je ajouté pour moi-même.

J'aurais voulu que ça serve d'avertissement, mais même si j'essaie, je ne suis pas particulièrement autoritaire. De toute façon, le téléphone lui a évité de répondre. Julien tenait toujours ses promesses à la lettre. J'ai décroché avant que mes parents ne le fassent.

— Ouais, c'est moi. Comment ça se passe ?

— Bien, Julien, ça se passe… comme prévu ? Qu'est-ce que t'avais prévu, au juste ?

Pendant que je parlais au téléphone, Claire et moi nous regardions droit dans les yeux, comme si j'attendais d'elle qu'elle me souffle les réponses. Julien était vraiment, vraiment en dehors de toute cette histoire, me suis-je rendu compte, même s'il l'avait déclenchée. « Tu veux lui parler ? » ai-je articulé en direction de Claire sans qu'aucun son ne sorte de ma bouche, pendant que Julien me décrivait l'état nerveux de sa mère. Claire a secoué la tête avec énergie.

— Tu veux parler à ta sœur ?

Chacun avait le droit de s'exprimer sur la question.

— Oh, non. C'est mieux si on se dit rien. Dans les polars, ils font comme ça souvent, ils restent volontairement dans l'ombre : moins on en sait, moins on est susceptible de vendre la mèche. Alors moi, je suis au courant de rien.

C'est bien ce que je me disais.

— Eh ben, ça va faire bizarre, de pas te voir retontir ici à tout bout de champ. Je vais m'ennuyer de toi.

— Ha ha ! Bon, en tout cas, on va se voir demain. Dis juste à ma sœur de faire un petit bruit, pour que je sache qu'elle est en vie.

— Hey, connard, je la tiens pas en otage, ta p'tite sœur : c'est *toi* qui l'as envoyée ici, je te rappelle !

Claire a poussé un petit sifflement exaspéré que Julien a pu entendre à l'autre bout du fil, et finalement il a été rassuré.

— Mon gars, tu vis dans un film d'espionnage. Claire va bien. Et… dis ! Depuis que je suis occupé au téléphone avec toi, elle se goinfre de *ma* portion de nouilles !

* * *

Claire était à moitié enfoncée dans le sac de couchage qu'elle avait apporté. Je pouvais voir, malgré le tissu épais, que ses pieds dépassaient du lit de camp. Comme on ne pouvait pas parler trop fort, elle l'avait rapproché du mien, qui était plus élevé d'un demi-mètre au moins, en raison du sommier. Je m'étais couché au bord, accoudé, pour parler avec elle. C'était étrange d'avoir à côté de moi la fille qui avait eu les cheveux verts. La « p'tite sœur de l'autre ».

Au moment de se préparer à aller au lit, elle s'était changée devant moi. Elle avait gardé une camisole et ses boxers kaki, simplement. Malgré moi, j'avais regardé la mince ligne d'ombre qui obscurcissait sa peau – éteindre la lumière aurait peut-être paru un peu prude pour un gars de mon âge, alors j'avais laissé la lampe de chevet illuminer son teint, plutôt bronzé. Sans m'en rendre compte, je l'avais fixée assez longtemps pour que ça me fasse quelque chose, vous savez, quelque chose que j'étais content de pouvoir cacher sous les couvertures. J'ai béni le sous-sol pour sa fraîcheur, à ce moment-là, et pour l'épaisse couette dont ça m'autorisait à me couvrir, même en juin. Je me suis demandé si elle savait l'effet que des jambes comme les siennes faisaient à n'importe quel adolescent qui s'excite pour une minijupe ou une pensée déplacée. Sûrement pas, ai-je conclu aussitôt. Elle est trop jeune. Elle comprend pas ça.

— Youhou ! T'es dans les vapes ou quoi ?

— Non non, ai-je instantanément répliqué en me grattant le cou.

— Écoute, d'abord : si ça peut te faire plaisir, je vais t'emmener quelque part, demain matin. Quelque part où on va pouvoir régler une partie de tes problèmes.

— Mais c'est mercredi, demain, j'ai de l'école.

— Sois pas stupide, Victor, *come on* ! Le mieux qui puisse t'arriver à l'école, c'est qu'on te fasse laver des bureaux avec du Windex super-polluant, tu t'en foutras plein les narines jusqu'à te faire péter les cellules et tes futurs enfants seront mongols. Au pire, tu vas jouer aux cartes.

— Qu'est-ce que tu proposes, G. I. Jane ?

— Je sais pas pourquoi tu m'appelles comme ça, et tiens, justement, c'est un secret.

Je pense qu'elle s'est endormie moins de trente secondes plus tard. Moi, j'avais trop de choses en tête pour faire pareil. Je me suis retourné cent fois dans mon lit en me demandant comment, perché à cinquante centimètres au-dessus d'elle, je réussissais à avoir l'impression qu'elle me dominait.

Je me sentais perdre la maîtrise de tout. Cette histoire est complètement malsaine, me suis-je dit. Je ne peux pas couvrir une fugueuse. Je ne peux pas accueillir une fille dans ma chambre pendant une semaine. Ça va se savoir. Ça va être le bordel.

Je ne peux quand même pas non plus la chasser…

* * *

Je n'ai aucun réflexe, c'est lamentable ! Ça m'a pris un interminable moment avant d'être complètement réveillé, malgré le fin rayon de soleil qui me tombait dessus depuis les rideaux mal fermés (quelle imprudence !), et un autre interminable moment avant de me rendre compte qu'il me tombait *directement* dessus. D'un geste maladroit, j'ai vite remonté les couvertures jusqu'à mon menton. Claire était debout devant moi, déjà habillée, prête à partir. Il n'y avait pas un bruit au rez-de-chaussée. Quelle heure pouvait-il bien être ?

— Pose pas de question. J'ai arrêté le réveil avant même qu'il sonne. Tu avais l'air tellement bien… T'es sûr que t'as des problèmes de sommeil ?

Son regard s'est planté à l'endroit où la couverture avait fait défaut… mon nombril, ou presque… Merde !

— Cela dit, il est passé neuf heures, l'école est commencée, les boutiques sont ouvertes, le soleil brille, la vie est belle. Grouille-toi, on a une mission aujourd'hui. On a pas de temps à perdre.

— Mes parents sont partis ?

— Il y a une heure. Et si ça peut te rassurer, j'ai pas entendu de tremblement de terre. Pas même une assiette cassée. Peut-être que c'est bon signe. Allez, lève-toi ! Hey ! Est-ce que je vois un « mais » dans tes yeux ? Non, non, pas de « mais ». Fiou !

Claire ne perdait pas le nord ! Après une nuit de sommeil sur un matelas de fortune, dans un environnement étranger, elle était déjà prête à prendre les commandes. G. I. Jane, que je vous dis !

— Laisse-moi dix minutes, O.K. ?

Dès qu'elle a eu le dos tourné, je me suis levé et j'ai couru à la salle de bain. Là, j'aurais un peu de paix, histoire de me préparer mentalement. À utiliser le billet que ma mère m'avait donné – que je devrais remettre le lendemain à la secrétaire –, à déserter Julien et l'école, à suivre Claire dans ses lubies – mais quelles lubies ?

Quand je suis sorti, elle m'attendait droite comme un soldat devant la porte-patio, son sac à dos bien en place sur ses deux épaules.

— On va où ?

— Rue Saint-Denis, mais pas sans ton sac.

Sac que j'ai docilement vidé de mes cahiers. Je n'en aurais probablement pas besoin.

Avec le beau temps qu'il faisait, j'étais tenté de marcher, mais Claire a insisté pour qu'on prenne le bus au cas où la police rôderait dans le quartier à sa recherche. Tout le long du trajet, j'ai essayé de savoir ce qu'elle avait en tête, mais sans succès. Ça m'irritait vraiment de me laisser trimbaler comme ça, au gré de ses fantaisies, sans avoir mon mot à dire.

Elle me connaissait vraiment mal pour me traiter comme ça. Intérieurement, je me suis juré qu'elle allait regretter d'avoir chamboulé mon horaire. J'allais même commencer à la faire payer tout de suite avec mon air bougon!

Malheureusement, ça n'avait pas l'air de fonctionner du tout. Claire affichait un sourire imperturbable. Son plan la réjouissait, et encore plus le fait de ne rien m'en révéler, me semblait-il.

— C'est quoi, là? Tu fais comme ton frère? Tu m'obliges à rester dans l'ignorance pour me protéger? C'est complètement ridicule! J'ai le droit de savoir!

— Wow, Victor, c'est toi qui te crois dans un film, là. Si tu veux savoir, je te garde dans l'ignorance parce que sinon tu serais pas venu.

— Très rassurant. T'es une fine psychologue!

Au coin de la rue Marie-Anne, Claire m'a tiré par le bras et on est descendus de l'autobus. Puis elle s'est immobilisée, même quand le bus a été loin, même quand le feu a tourné au vert. Elle est restée bien droite, face à moi, l'air grave.

— Bon. Je vais te dire, maintenant. On va te trouver un complet.

Le soupir que j'ai lâché ne faisait pas partie de son plan, visiblement, parce qu'elle a fait une moue dépitée. Est-ce que je l'avais déçue? Dans les circonstances, je voyais mal comment je pouvais être coupable de quoi que ce soit.

— Claire... Je veux dire... Je t'ai dit de pas te mêler de ça...

— Et moi, je te dis qu'il faut pas renoncer à ce qu'on veut vraiment. T'as besoin d'un bon coup de pied au cul, Victor, parce que tes parents t'en ont pas assez donné, à ce que je vois.

— Arrête, tu sais pas de quoi tu parles. Ma mère est la première à me parler de lutte, de combat, de rêves, de rébellion. Elle est la première à me « pousser à la liberté », comme elle dit.

— Oui, c'est ce que j'ai cru comprendre. Mais laisser quelqu'un faire ce qu'il veut, ça donne rien si ce quelqu'un manque lui-même de volonté. Et c'est là que j'entre en scène. De la volonté, moi, j'en ai pour nous deux.

La « p'tite sœur de l'autre » était convaincante, il n'y avait pas à dire. Je me demandais où elle prenait toute cette énergie, cette force contagieuse. C'est tout p'tit pis ça veut vivre, me suis-je dit. Mais oh ! comme ça l'aurait insultée ! Comme elle préférait se faire appeler G. I. Jane…

Alors j'ai décidé de la suivre. Uniquement pour la contenter. De toute façon, elle devrait renoncer à son projet bien assez vite : ni l'un ni l'autre n'avions l'argent pour acheter un complet. Si la torture de voir quelque chose qu'on ne pouvait pas se procurer lui plaisait, ai-je songé, allons-y. Ça ne coûte rien. Mais je n'aurais pas l'esprit tranquille sans avoir réglé une petite chose.

— O.K. d'abord, on va aller voir. Mais je vais appeler Julien avant. Il va s'inquiéter s'il me trouve pas à la récré. Et s'il s'inquiète, il va perdre les pédales et il va faire une connerie. Je le connais.

— Ouin, essaie. Sauf qu'il est trop bon élève pour laisser son cellulaire allumé pendant les cours. Ma mère le lui interdit.

— Encore mieux. Je vais lui laisser un message.

On a traversé la rue jusqu'à la cabine téléphonique et j'ai composé le numéro avec l'aide de Claire; je n'étais pas habitué à appeler Julien. C'est toujours lui qui prenait en charge nos communications.

Contre toute attente, il a répondu après un quart de sonnerie.

— Vic! T'es où, merde? Je t'ai pas vu aux casiers, ce matin. Tout va bien?

— *Shit*, Julien: toi, t'es où? Tu réponds au téléphone en classe, maintenant?

— Je suis dans la cour d'école. Comment j'aurais pu tranquillement aller à mon cours quand je me faisais un sang de cochon pour ma sœur et toi, veux-tu me dire? C'est quoi ton trip, mon gars? Tu vas tout gâcher! Le plan, c'était de continuer comme si de rien n'était! De vivre normalement, Vic! Et toi qui manques l'école, c'est pas normal! Et moi qui manque l'école aussi en espérant avoir de tes nouvelles avant de faire une crise de nerfs, c'est pas normal non plus!

— Wow, relaxe, Julien!

Claire, de l'autre côté de la vitre en plastique, ouvrait de grands yeux pour que je la mette au courant. J'ai haussé les épaules en tournant les paumes au ciel, le combiné coincé sur l'épaule. Julien ne me laissait pas le temps de faire la retranscription en direct.

— Man, t'as oublié d'écraser tes Valium dans ton verre de lait ce matin ! Fais plus jamais ça. Écoute, j'ai pensé que ta sœur s'ennuierait toute seule, toute la journée. On est juste allés se promener. J'ai un billet d'exemption, tu te souviens ? Mais toi, tu ferais mieux d'aller à ton cours avant que la secrétaire appelle ta mère. Tu vas empirer ton cas. Pis éteins ton téléphone, psychopathe !

— C'est réglé ? a demandé Claire aussitôt que je suis sorti de la cabine.

Voyant mon air abattu, elle a éclaté de rire.

— Bon, laisse-moi te regarder un peu, a-t-elle enchaîné en m'observant de haut en bas (tout près de moi, elle devait complètement se tordre le cou : elle faisait à peine cinq pieds deux, alors que moi, j'en faisais presque six – presque !). Pour les cheveux, on verra plus tard. Je suis pas certaine que le look « tout droit sorti du lit » convienne au bal. Quoique… tout le monde risque de dépenser des fortunes en pommades pour avoir l'air de ça.

— C'est pas un look, je te signale, ai-je légèrement protesté, c'est la vraie vie. D'ailleurs, ce n'est pas comme si tu m'avais donné le temps de me coiffer, ce matin.

Je n'aimais pas vraiment que Claire me scrute et m'analyse ainsi. Surtout qu'elle le faisait avec l'air de me trouver beau… Pas que je me considère comme particulièrement moche, mais je n'ai jamais vraiment misé sur mon apparence, contrairement à beaucoup de gars, comme Janvier, mettons, parce que c'est quelque chose de nous qui ne peut pas être secret. Et devant Claire, j'avais justement le réflexe de ne pas trop me révéler.

— T'as raison. Désolée. La chemise, maintenant, a-t-elle repris sans hésitation. Elle date de quand ? On voit presque plus les lignes blanches sur le fond bleu pâle tellement le tissu est usé. Je gage que tu roules les manches parce que les poignets sont complètement abîmés.

— C'est à peu près ça.

— Le pantalon, ça va. Ça ressemble à un bleu de travail, mais en beige. Très décontracté, très « prolétaire ». Et que dire des souliers de course ? C'est en fibres de chanvre bio ? Il me semble que c'est la marque équitable, avec les semelles en pneus recyclés... Vraiment, Victor, je sais pas ce que tu vas faire d'un complet. Si j'étais toi, j'irais au bal comme ça. T'es très bien ! Écolo-chic, j'aime ça !

— Merci beaucoup, ai-je dit en emboîtant le pas à Claire, qui avait commencé tranquillement à descendre la rue. Mais t'es trop jeune, tu te rends pas compte. Quand t'as passé cinq ans à la même école, t'espères que la dernière soirée avec tes collègues va être un peu spéciale. Je veux pas finir cette étape de ma vie comme je l'ai commencée. Surtout que je sais pas vraiment ce qui m'attend l'an prochain. Le complet, c'est une façon de montrer que j'ai vieilli, que je suis prêt, mais c'est aussi une façon de dire merci. Tu vois ? Tout le monde se donne tellement de mal pour faire quelque chose de bien avec ce bal. Moi, j'ai même pas trempé le petit doigt dedans. J'ai rien fait. Je vais débarquer là comme un invité dans ma propre école. Si j'arrive habillé comme d'habitude, et que je profite de tout juste parce que mon nom figure sur la liste, ça va être comme si j'appartenais pas totalement au groupe. Et peut-être que c'est vrai, finalement, peut-être que j'appartiens pas au groupe. Mais j'ai jamais eu envie de me démarquer. Alors je veux un complet.

Je me suis arrêté, à bout de souffle. Claire souriait.

— Tu parles pas beaucoup, toi, mais quand tu parles, c'est pas pour dire n'importe quoi.

On était arrivés devant une boutique de vêtements. J'ai imaginé que c'était notre destination. Je ne savais pas trop ce qu'on allait y faire, puisque je n'avais pas assez d'argent et que je n'allais sûrement pas laisser Claire payer pour moi. Mais bon, comme la journée de cours était ratée, je me suis dit qu'il valait mieux jouer le jeu.

Dès qu'on est entrés, une vendeuse rachitique s'est jetée sur nous comme la misère sur le pauvre monde, avec un sourire Crest fendu jusqu'aux oreilles et un fond de teint qui faisait honte au soleil.

— Salut! Je peux t'aider?

Évidemment, elle ne s'adressait pas à moi. C'était sûrement stratégique.

— Vous ne pouvez pas *nous* aider, non; *nous* ne faisons que regarder pour le moment… a répliqué Claire en appuyant sur les pronoms. Oh, en fait, j'aurais une question: est-ce que vos vêtements sont faits en Chine?

— J'sais pas trop, moi… Tous nos vêtements, tu veux dire ? Steve ?

Un gérant brillantiné de vingt-deux ans a levé les yeux de son comptoir.

— Nos vêtements sont-tu faits en Chine ?

— Ben oui, qu'est-ce que tu penses !

— Parfait ! Par des enfants, j'imagine ? Oh, n'importe, a tranché Claire tout en me guidant vers le fond du magasin. Merci, mademoiselle !

On s'est plantés devant les étalages et on a commencé à regarder les vestons. C'était la saison des bals, et la boutique était remplie de vêtements chic, robes en satin scintillantes, diadèmes en plastique, coiffures à fleurs, sandales à talons aiguilles. La section pour hommes était moins bariolée, évidemment, mais n'échappait pas à la chic-o-manie. On se serait crus dans le garde-robe d'Al Capone. Ce n'était pas vraiment le topo du bal, qui était organisé autour du thème des sixties. (Déjà plus facile que pour les élèves de l'année dernière, qui avaient dû se déguiser en épouvantails de la Nouvelle-France. Un sabotage de rêves de jeunes filles, vraiment : leur prince charmant en chemise à jabot, ça ne devait pas être le pied.) Enfin, un complet normal, que je me suis dit, c'était intemporel, ça allait faire l'affaire… Ça *aurait* fait l'affaire.

— Celui-là, qu'est-ce que t'en penses ?

— Hein ? Pourquoi tu chuchotes ?

— Pour pas enterrer la belle musique *dance* qui nous berce, voyons, murmura-t-elle à mon oreille, ironique. Alors, qu'est-ce que t'en penses ?

Mon premier réflexe fut de regarder l'étiquette.

— J'en pense que c'est trop cher.

Ça n'a pas eu l'air de la perturber, parce qu'elle a cherché parmi les vestons celui qui serait à ma taille et l'a décroché du cintre pour me le plaquer contre la poitrine. Puis, comme une vraie petite tailleuse, elle a reculé le tronc tout en gardant les bras tendus avec le veston devant moi et m'a jaugé d'un œil expert.

— C'est quelque chose comme ça que tu voulais ?

— Genre. Je peux demander à une vendeuse de me le faire essayer, si ça peut te faire plaisir, Claire, mais je l'achèterai pas.

— Qui a dit qu'il était question d'acheter ? On va quand même pas encourager l'industrie du textile et ses ateliers de misère chinois !

Claire a jeté un coup d'œil à la ronde et, voyant que les vendeuses étaient attroupées autour du gérant au comptoir, elle a ouvert son sac. Merde ! Je comprenais enfin son plan. C'était bien elle, ça ! Incapable d'encaisser un refus, incapable de vivre selon les règles. Elle voulait quelque chose, elle le prenait. Même si elle savait bien que je ne voudrais rien savoir de piquer quoi que ce soit, elle me plaçait devant le fait accompli. Dans quelle situation nous avait-elle fourrés ? La sueur a commencé à ruisseler le long de ma colonne vertébrale, mon cou me démangeait comme si une armée de puces m'avait assailli, et bientôt je perdrais toute maîtrise de mon cerveau. Il fallait réagir vite, mais je restais interdit.

Pas prévu ça. Merde, Victor ! Merde ! Pense, Victor, bordel ! Puis, l'idée de génie, la première qui passait, je l'ai attrapée au vol.

— Claire, ai-je chuchoté d'un ton paniqué, retourne-toi pas ! Y a un policier qui est entré dans la boutique. Il montre une photo de toi à la vendeuse, elle la regarde, se gratte le front… Oh ! je pense qu'elle t'a reconnue.

— Que… quoi ?!

— Laisse le veston et viens ici, la sortie de secours est juste là. *Shit*, ils arrivent. Si tu te retournes, ils vont te reconnaître. Sois discrète. Vite !

Pour la première fois, je voyais Claire obéir. Elle devait avoir la peur de sa vie. Ses grands yeux d'insecte regardaient partout et nulle part, son cœur palpitait sous sa camisole. Elle a enfoui le veston parmi les autres sans prendre le temps de le remettre sur son cintre et m'a rapidement suivi vers la lourde porte en métal cachée entre deux rayons. J'ai poussé la barre horizontale dans un grand geste, avec une témérité que je ne me connaissais pas. Aussitôt, la sirène d'alarme s'est mise à sonner si fort que j'ai failli perdre le peu de sang-froid que j'avais miraculeusement trouvé en moi.

— Cours ! ai-je crié dès que la porte s'est refermée derrière nous, un peu comme dans un film.

Je me sentais vraiment ridicule, mais il le fallait. Claire a couru de toutes ses jambes pour traverser la ruelle et s'est jetée par terre derrière un conteneur à ordures. G. I. Jane ! Elle s'est agenouillée là jusqu'à ce que je la rejoigne, deux secondes après, le temps de m'assurer que personne n'était à nos trousses. En vérité, le policier qui était entré dans la boutique était plutôt une cliente qui détournait l'attention de la vendeuse pendant que nous sortions par-derrière. Mais à un certain moment, j'aurais juré sur la tête de ma grand-mère que j'avais vu un policier sortir à notre suite et nous pourchasser. C'était un joggeur avec son chien au bout d'une laisse en métal — ce qui faisait un peu comme un bruit de menottes à la ceinture d'un flic — venant distraitement dans notre direction.

Je me suis accroupi à côté de Claire et l'ai couverte de mon bras, approchant mon visage du sien pour m'assurer qu'elle allait garder les yeux vers le sol.

— Ça va ? ai-je demandé, à bout de souffle.

Ma pauvre fugitive a hoché la tête en ravalant sa salive.

— On va attendre un peu. Ils vont partir, je te le promets.

Mon assurance m'étonnait moi-même. J'étais enfin redevenu l'aîné, celui qui prenait les choses en main. Il faut avouer que ça me grisait de la tromper et de la « protéger » en même temps. Recroquevillée sous moi, tremblotante, Claire était comme le petit oiseau pris au piège dans la maison. Grâce à moi, elle avait trouvé la sortie.

— Victor ? a émis Claire avec une petite voix hésitante, la face tournée vers l'asphalte.

— Oui ? ai-je répondu à sa nuque en sueur.

Mais elle n'a plus rien dit. Je crois qu'elle avait vraiment eu peur, et je m'en suis tellement voulu que j'ai eu le réflexe le plus stupide depuis au moins dix ans : je l'ai embrassée dans le cou. Attention, c'était pas un petit bec du bout des lèvres, pour être gentil, non, ça voulait ressembler à un *french* ! La bouche grande ouverte ! La langue qui se heurte à la peau ! Dans le cou ! On ne pouvait pas être plus déplacé !

Claire, pour toute réponse, est restée immobile et silencieuse en se crispant davantage. Je donnerais n'importe quoi pour ne jamais savoir ce qui a traversé son esprit à ce moment-là. Pour ma part, je sais que ma tête était une bouilloire sifflante. Tout s'était passé si vite. Il ne fallait pas rester là. Si on ne bougeait pas, on allait vivre dans ce mensonge pour toujours. Ou pire, on allait devoir s'expliquer. Alors j'ai bondi sur mes pieds, fait semblant de regarder à la ronde et ai relevé Claire en la tirant par le collet. Elle a été tellement surprise qu'elle a failli perdre pied.

— Viens-t'en, Claire ! Y a personne : on se pousse !

QUATRE

★ Durant tout l'après-midi, j'ai voulu parler avec Claire de ce qui venait de se passer – plus précisément de la version officielle –, mais elle était fermée comme une huître. Et moi, il y avait certains détails que j'étais mal à l'aise d'aborder. Sur l'avenue du Mont-Royal, alors qu'on marchait à un bon mètre de distance l'un de l'autre, Claire a fini par lancer d'une voix morne :

— On va prendre un café. *Amateur ?*

Il s'en est fallu de peu – d'un tout petit point d'interrogation à peine – que je n'interprète ce mot comme une insulte. Amateur, oui, elle pouvait bien me reprocher de l'être. En vol à l'étalage, en situation de panique et en baiser romantique 101, j'avais des croûtes à manger ! Mais « ça n'irait pas plus loin », comme disent les commentateurs sportifs. Claire s'est contentée de marcher, tête basse, d'un pas plus décidé, vers le prochain bistro.

Assis devant nos cafés au lait (en plein mois de juin, eh oui, on avait besoin d'un *comfort drink*), on est restés longtemps à ne rien dire du tout. De temps en temps, du coin de l'œil, je regardais Claire qui tremblait malgré la chaleur de sa boisson. De petits frissons brefs, comme au moment de recevoir une piqûre du dentiste, ou de gros frissons d'horreur à la pensée d'un événement traumatisant... Je ne savais pas trop.

— Aie pas peur, Claire.

Oups ! Ça l'a vexée, sans doute, parce qu'elle a crispé les épaules et détourné le regard.

— Je veux pas retourner chez ma mère. Pas tout de suite. C'est tout.

Puis, du même ton de robot :

— Bois donc pendant que c'est chaud.

Lorsqu'on est rentrés chez moi, elle s'est immédiatement précipitée à mon bureau pour écrire un message à sa mère. Je me demandais ce qu'elle avait tant à lui dire. Allait-elle enfin faire la liste de ses fameuses « revendications » et bravement affronter sa mère ? J'avais plutôt l'impression qu'après cette escapade mouvementée, elle avait besoin de parler à sa petite maman, de se jeter sous ses jupes, de donner de ses nouvelles en ayant l'impression d'établir un contact. Pourtant, ce n'était pas son genre ; ce n'était pas la G. I. Jane qui fuguait, commettait des vols à l'étalage, en gros qui désobéissait à tous les ordres et était habituée à prendre les commandes... Incompréhensible !

Puis, à force de la regarder qui me tournait le dos, j'ai compris que, d'une certaine manière, et par un tour de l'esprit que je ne saisissais pas encore tout à fait, Claire jetait sur moi le blâme pour l'incident du magasin. D'un point de vue, elle avait raison, puisque j'avais tout inventé. Mais elle ne devait pas avoir compris ça, elle devait plutôt penser que je l'avais protégée. Alors pourquoi est-ce que je sentais que toute l'histoire – le vol (faussement) raté, la (fausse) chasse à l'homme, la sordide escapade derrière la benne à ordures – était de ma faute ? Moi qui avais seulement voulu préserver la pureté de notre relation en l'empêchant de perpétrer quelque chose que je n'approuvais pas, je n'avais réussi qu'à m'associer à l'idée même du crime. Et puis j'avais profité de mon mensonge pour l'embrasser. Et puis j'avais raté mon baiser. Malheureusement, pas moyen de lui mentir à propos de ça : elle l'avait remarqué !

Ça ne pourrait pas durer longtemps comme ça, me suis-je dit. Elle a accaparé mon bureau toute la soirée pour écrire, pendant que moi, assis par terre avec mes manuels, j'essayais en vain d'étudier. L'inconfort physique, mais surtout moral, de la situation m'en empêchait littéralement. Je regardais mes notes et je n'y voyais que des mots vides de sens. Au lieu de me concentrer à réviser mes formules d'algèbre, je passais mon temps à regarder d'un œil le genou de Claire qui s'agitait au même rythme que son stylo, à ouvrir la bouche, à la refermer aussitôt avec la frustration de ne rien trouver d'intelligent à dire, sinon la vérité, et ça, je ne le pouvais pas. Elle m'aurait pris pour un lâche.

Alors je suis monté à la cuisine, que mon père désertait (il dormait et mangeait dans le salon depuis la veille), et que ma mère, contrairement à son habitude, avait abandonnée dans un état pitoyable. C'était un vrai champ de bataille. Évidemment, j'ai seulement réussi à lire une page ou deux, du bout des yeux pour ainsi dire, et à me gratter au sang tellement j'en avais marre, du silence, tellement ça m'irritait. Silence de merde ! J'en avais rêvé pourtant, du silence, de la paix ! Et là… Mes pensées en étaient juste plus assourdissantes. M'en veut-elle ? Mes parents vont-ils se séparer ? Qu'est-ce qu'elle écrit à sa mère ? Comment faire pour savoir ? Comment, pourquoi, comment ?

— Bonne nuit, Claire, ai-je dit, piteux, en redescendant les escaliers, vers neuf heures et demie.

Haussement d'épaules. Elle m'avait entendu arriver dans la chambre mais ne s'était même pas retournée. Aucun risque, cette fois, qu'elle me surprenne en train de me déshabiller avant d'aller au lit.

Puis, elle s'est levée d'un coup et a cherché des yeux sa veste qui traînait sur le sol. En l'enfilant, elle a failli déchirer une manche. Idem avec une bretelle de son sac à dos.

— Je vais aller mettre mon message dans la boîte aux lettres de Flavie. Elle l'attend pour le remettre à Julien demain matin, qui va le rapporter chez nous après l'école comme s'il l'avait trouvé dans le courrier. Enfin, je veux dire, si tu te couches, laisse la porte débarrée.

— Pourquoi tu veux pas que je la donne à Julien moi-même ?

— Parce que c'est pas de tes affaires.

Au moment où je me suis mis sous les draps, Claire est sortie comme un chat par la première ouverture qu'il voit et a fermé la porte dans un grand geste plein de violence. Vlan ! « C'est pas de tes affaires… » Vlan ! Et elle a disparu dans la nuit. C'est ça que ça donne, rendre service à la petite sœur de son meilleur ami, Victor Bacquias : vlan !

* * *

La gueule que j'ai vue dans le miroir jeudi matin ressemblait à ma première gueule de bois à vie, sauf que ça, c'était l'an dernier, et c'était pas mal moins grave. C'était aussi moins grave que l'air d'Odile au-dessus de son bol de céréales.

— Je sais que ça t'affecte, Victor, ce qui se passe entre ton père et moi en ce moment…

Non, ce qui m'affecte, c'est que tu m'en parles comme ça, tout d'un coup, à huit heures du matin, le lendemain de la pire journée de ma vie ! ai-je pensé.

— Ben, c'est sûr, mais en même temps, c'est pas vraiment de mes affaires…

Qu'est-ce qui était de mes affaires, ces temps-ci, de toute façon ?

Ma mère a fait tourner sa cuillère dans son bol encore plein. Elle ne semblait pas apprécier mon semblant de flegme.

— C'est de tes affaires, Vic, parce que tu es notre fils, que tu habites avec nous et qu'on t'aime. Alors je vais tout t'expliquer. Nicolas et moi…

— Il est pas là pour se défendre, Nicolas, d'ailleurs ?

Odile m'a jeté un regard noir et a continué de parler, mais en serrant davantage les dents.

— Nicolas et moi, on ne sait pas si on va toujours ensemble, je veux dire dans la même direction. En plus, ça va assez mal à son boulot, assez pour qu'on pense à vendre le duplex et à occuper le deuxième étage en tant que locataires. Ça voudrait dire plus de cour, plus de sous-sol, mais ça voudrait surtout dire qu'on serait tous les deux à vivre dans la moitié moins de mètres carrés, dans une période où on ne sait pas si on peut s'endurer même en peinture.

On aurait dit qu'elle utilisait des expressions québécoises pour me faire plaisir, pour que j'avale mieux la pilule, mais ça ne changeait rien au fait que leurs disputes, je ne les comprenais pas vraiment. Depuis des mois, mes parents employaient un langage de vieux qui me laissait froid.

— Sans parler de toi, à qui on voudrait éviter tout ça. Alors on s'est dit qu'on prendrait le temps de penser à notre avenir commun avant de penser au fric.

Ça, c'était une bonne nouvelle !

— On va essayer de faire ça chacun de son côté. Je vais aller de temps en temps dormir chez ma copine Audrey, Nicolas chez ses parents... Ça va être un peu le branle-bas de combat, ici, mais il va toujours y avoir quelqu'un pour toi. Et puis, si on s'absente en même temps, une fois, tu peux très bien te débrouiller.

Sa dernière phrase était un point d'interrogation. Après une pause, j'ai compris qu'elle attendait que je réponde.

— Oui, oui, je peux faire ça.

— Je sais que c'est pas le meilleur moment pour toi, avec la fin d'année et tout, mais on peut pas continuer à faire semblant.

J'ai dit O.K., que je comprenais, que j'allais m'arranger, que je m'en doutais depuis longtemps, que j'allais être en retard. Je suis repassé vite fait par le sous-sol pour laisser un muffin et une bouteille de jus à Claire, qui dormait toujours, en précisant sur un Post-it qu'elle pourrait allègrement monter elle-même dans la cuisine durant la journée, qu'il n'allait pas y avoir foule.

Oui, je m'en doutais, me répétais-je en route vers l'école, sur mon vélo. Mais est-ce que je l'avais vraiment vu venir ? Non, pas tant que ça. J'étais trop occupé à penser à Claire ; on aurait dit qu'il ne me restait plus de place dans le cerveau pour absorber les histoires de famille, pour y réagir correctement.

Nicolas était chassé de sa propre maison, Odile se montrait faible pour la première fois de sa vie, et moi j'hébergeais une fugueuse dans leur dos… J'étais entouré d'âmes en peine et je songeais juste à m'échapper, moi aussi. Il est peut-être arrivé quelque chose qui a déformé leur sens de la débrouillardise quand ils me l'ont transmis à ma naissance. Dans mes gènes, il me semblait que c'était devenu plutôt un sens de la fuite assez bancal.

En arrivant dans la cour d'école, j'ai mis un certain temps avant d'aller vers Julien, à qui Flavie donnait le fameux bout de papier. Flavie est en secondaire quatre, elle est ni belle ni moche, elle a des cheveux assez courts, entre le brun et le roux, elle a constamment l'air dans la lune, mais elle rit quand même (ce qui fait qu'on se demande toujours si elle a vraiment compris les blagues…) ; mais on s'en fout, parce que Flavie, c'est surtout celle qui jouait à la messagère à ma place ! Si je n'avais pas eu un minimum d'éducation, je serais allé la pousser de là, je vous le dis ! Je lui aurais fait comprendre qu'elle devrait se mêler de ses affaires. Mais j'ai plutôt poliment attendu dans l'ombre que Julien enfouisse le message dans sa poche et lui fasse un signe d'au revoir complice. Puis je suis allé le trouver.

— Ju.

— Hé, Vic ! Regarde : des nouvelles de ma sœur ! Oh, ouin, tu devais être au courant ! Ma mère est tellement énervée qu'elle cherche des coupables et voit des catastrophes partout. Sa nouvelle hypothèse, c'est que je lui ai donné l'argent que j'ai en banque pour qu'elle aille au Mexique, comme elle en a déjà parlé ! Elle est persuadée et elle m'en veut grave ! Au moins, avec ça (il a ressorti le billet de sa poche), je vais pouvoir prouver que je suis innocent. J'ai hâte qu'elle revienne, la sœur, parce que je te jure que ça devient pénible !

Le flot de ses paroles me reposait presque. Cher Julien !

— Bon, c'est très bien tout ça, mais j'ai maths, là. Je ferais mieux d'y aller, d'un coup qu'il dit quelque chose d'intéressant, le prof. J'ai pas réussi à étudier hier, et je sens que ça va pas s'améliorer. On se voit à la café ce midi, O.K. ?

On allait se voir avant ça, mais je ne le savais pas encore. Et si j'avais su, je n'aurais pas eu l'esprit aussi tranquille pendant le cours. Bon, je dis « esprit tranquille », mais c'était pas encore ça. Disons que j'avais au moins la volonté de me concentrer sur la matière, dont le prof de maths n'a malheureusement fait qu'un pauvre résumé avant de nous faire astiquer les pupitres. J'étais décidé à oublier le message de Claire et à m'en foutre assez pour ne pas être tenté de demander des détails à Julien. J'avais mon orgueil, quand même !

Je suis ensuite arrivé au local de physique plein d'espoir : le prof était un tel zélé ! Je savais qu'au moins, lui, il allait donner un cours normal, complet, instructif, enfin ! M. Pescoa est là pour nous rappeler qu'aller à l'école, ça sert à apprendre. Pas que je me soucie beaucoup de science. En fait, je ne sais pas exactement ce que j'aime. Mais c'est toujours assez cool de connaître des formules et de faire des expériences. C'est là qu'on se rend compte qu'on a une certaine maîtrise de la vie, que rien n'est magique. Ça fait du bien, je trouve. On se sent moins dépassé.

— Ouvrez vos manuels à la page 436, si vous voulez bien, messieurs dames.

M. Pescoa a toujours cette drôle de manie de nous appeler « messieurs dames » et de nous faire croire qu'il est notre humble serviteur alors qu'en réalité il nous mène par le bout du nez.

— Nous allons célébrer la saison estivale par une petite expérience sur les caractéristiques des rayons lumineux. Monsieur Gascon, voudriez-vous je vous prie faire circuler ces plaquettes de verre ? Réjouissez-vous, il y en a pour tout le monde !

Maxime Gascon, qui n'aime pas être interpellé par les enseignants parce qu'il passe pour un téteux, s'est quand même levé, obéissant, pour nous distribuer les petites vitres. J'ai pris la mienne très délicatement entre le pouce et le majeur et je l'ai contemplée un moment. J'étais content d'utiliser ça, des machins comme ça. C'était comme un privilège. Je me suis dit que je pourrais demander au prof de me fournir du matériel de laboratoire pour mon usage personnel, un vase de Petri, par exemple; j'y ferais une culture bactérienne quelconque et la donnerais en cadeau à quelqu'un d'important… Ou juste à Claire, disons, pour quand elle serait partie. Je prendrais une poussière dans un coin du sous-sol avec un Q-Tip et, dans le vase, ça deviendrait peut-être le dessin d'une clé, d'une carte, de quelque chose d'invitant…

— Mes amis, qui d'entre vous souhaite nous lire le paragraphe d'introduction à l'expérience numéro cinq? Mademoiselle Letendre, peut-être?

Janick a toussoté et, en détachant bien les syllabes, a lu d'une voix forte:

— «Le phénomène de la réflexion compte trois lois fondamentales, la première étant que le rayon incident, le rayon réfléchi et la normale au point d'incidence appartiennent à un même plan…»

Mais elle a aussitôt été interrompue par le grésillement de l'interphone à côté de la porte. Un message de bonne chance pour la fin de l'année, sûrement. C'était bien le genre de notre directrice. On a tous posé les coudes sur les bureaux en attendant que le son s'éclaircisse et que quelqu'un finisse par parler. Dès les premiers mots, on a tout de suite compris que Mme Ladouceur n'était pas comme d'habitude. On sentait rarement autant d'émotion dans sa voix. Il devait s'agir de quelque chose de grave. Instantanément, une goutte de sueur a roulé entre mes omoplates et j'ai eu une symptomatique sensation de démangeaison. Je savais que j'allais être en cause. Ça ne pouvait pas faire autrement…

— *Désolée d'interrompre les classes. Les élèves suivants sont priés de se rendre immédiatement à la salle de réunion adjacente au secrétariat principal : Julien Prévost, Sébastien Grégoire, Flavie Saint-Pierre, Valia Chtcharanski, Lula Chang, Victor Bacquias et Jonathan Péloquin…*

Le frère de Claire, les amis de Claire, l'ami du frère de Claire… Bien sûr, on ne pouvait pas s'attendre à ce qu'on nous laisse en paix, à ce que ça reste un petit drame domestique. L'école se mêle de tout, et là, elle se mêlerait de nous accuser, c'était certain. Ça ne risquait pas d'être autre chose. Oh, Victor, dans quelle poisse tu t'es englué ! ai-je pensé. Ce message, le ton catastrophé de la directrice, le caractère officiel de l'affaire, l'omission évidemment volontaire des mots qui auraient pu faire peur : disparue… fugue… enquête… Ça tournait littéralement au cauchemar. Mais en même temps, cette voix me donnait l'impression que je me réveillais. Toute cette histoire, la fugue de Claire et ma complicité, m'était apparue jusque-là comme un rêve vaguement désagréable que je finirais par oublier, comme tous les autres. Vous savez, quand on rêve qu'il est temps de se lever, mais qu'on n'est en fait qu'au beau milieu de la nuit… Parfois, on ouvre les yeux pour se rassurer, mais finalement c'est vrai, c'est l'heure. Cette fois aussi, c'était vrai, *ça arrivait*. Le message de la directrice, ça équivalait pour moi à regarder le réveil et à me rendre compte qu'il allait sonner incessamment.

— … *Nous prions également tous les élèves de ne pas s'absenter de l'école. D'autres pourraient être appelés au cours de la matinée.*

Un dernier grésillement s'est fait entendre, puis plus rien. Le silence était complet dans la classe. M. Pescoa a lancé à la ronde un regard solennel qui voulait dire : « Allez-y, obéissez, faites votre devoir. » J'étais malheureusement le seul de mon groupe à avoir été appelé. Je me suis levé avec précaution, conscient que je passais pour un condamné, j'ai ramassé mes affaires sous les regards inquisiteurs de mes camarades et j'ai marché vers la porte en essayant en vain de rentrer ma tête entre mes épaules. Je n'aurais pas pu en faire davantage pour avoir l'air coupable. J'agissais comme un coupable. *J'étais* un coupable. Avant de sortir de la classe, j'ai regardé mon professeur pour trouver dans son attitude le signe d'un quelconque pardon. Il a simplement hoché la tête, comme s'il m'encourageait à faire une bonne action. Il ne comprenait rien, bien sûr. Il ne pouvait pas savoir.

Les couloirs de l'école étaient vides, comme toujours durant les cours. Mais d'habitude, on sent l'activité derrière les portes. Là, je ne sentais qu'un grand malaise. Certains profs avaient sûrement « interrompu leur programme » pour expliquer ce qui était probablement devenu l'événement de l'heure et que la directrice avait eu la pudeur de taire. Tout n'était que murmures, des murmures qui se transformaient en grosses voix menaçantes dans ma tête. J'avançais comme dans l'eau, au ralenti.

Une porte s'est ouverte un peu plus loin dans le corridor. Jonathan sortait de sa classe. Il a regardé à gauche et à droite comme s'il s'apprêtait à traverser la rue et, quand il m'a vu, il a attendu que je le rejoigne avant de commencer à marcher vers le secrétariat.

— Tu sais quelque chose, toi?

— Non. Hum hum, non, je sais rien.

J'avais chuchoté sans le vouloir. Mais Jonathan n'a pas eu l'air de trouver ça suspect.

— Moi non plus, qu'il a dit. J'étais en retenue, mardi. Je sais pas ce qu'elle a fait après l'école.

« Elle. » Il savait que c'était à cause de Claire qu'il était appelé. Il était au courant, même si la directrice n'avait rien dit. Jonathan devait se sentir coupable de quelque chose, lui aussi, sinon il n'aurait pas si vite deviné. Ça me rassurait un peu de ne pas être tout seul. Avec de la chance, il va s'avérer plus responsable que moi, me suis-je dit : il l'aura incitée à quitter la maison en lui faisant du chantage émotif, quelque chose comme ça. À côté de lui, je passerai peut-être pour un agneau, qui sait? On avait justement l'air de bêtes en route pour l'abattoir. On marchait sans se regarder. Quand on est arrivés devant la classe de français, la porte s'est ouverte sur Valia. Au lieu de nous poser la question à laquelle on s'attendait tous les deux, elle a louché vers nous de l'air de celle qui en sait plus que tout le monde, mais qui ne cédera pas sous la torture. Elle nous a emboîté le pas.

Lula et Sébastien se sont greffés au groupe à tour de rôle à mesure qu'on avançait vers le secrétariat. Sébastien et Jonathan se sont fait un *high five* en rigolant. Ce rendez-vous avec la directrice, même si ça menaçait d'être au mieux emmerdant, leur permettait de rater un cours. Ils étaient contents. Lula, fière et tranquille, arborait un air de défi. Elle a remonté sur son épaule le foulard palestinien qu'elle portait été comme hiver pour découvrir le carré de feutre rouge épinglé à sa manche, symbole de la grève étudiante de 2005, à laquelle elle n'avait évidemment pas participé. Elle avait l'air de se rendre à une assemblée du conseil étudiant. Pour un peu elle aurait sorti de son sac un carnet pour prendre des notes. Flavie, qui est apparue dans l'escalier, a couru pour la rejoindre, et elles se sont mises à chuchoter tout en marchant. Julien, pourquoi on n'a pas de plan, nous aussi ? T'es où, d'abord ? T'avais pas prévu ça, hein ?

Julien était là, au bout du couloir, à côté de la directrice qui tenait la porte de la salle de réunion ouverte et nous invitait d'un regard autoritaire à entrer. Mes compagnons, comme soulagés de passer à la prochaine étape, ont accéléré le pas et se sont installés dans la salle. Julien m'attendait. Évidemment, à côté de la directrice, on n'avait pas le loisir de s'entendre sur une version des faits, de préparer nos réponses. L'air catastrophé de mon ami m'a donné froid dans le dos. Quand je suis arrivé à sa hauteur, il a incliné la tête en direction du secrétariat, juste derrière nous. J'ai jeté un coup d'œil : sa mère, Mme Prévost, était assise dans un fauteuil.

La tête posée sur ses paumes, elle attendait là, sous les yeux compatissants de notre bonne secrétaire, qui lui adressait des mots sans doute réconfortants que je ne pouvais pas entendre d'ici. Je ne l'avais jamais vue comme ça, sa mère. À vrai dire, je l'avais toujours vue debout, droite, inflexible surtout. Là, c'était visible, elle était dévastée. Dans mon ventre, mes tripes se sont serrées, et j'ai eu envie de courir aux toilettes pour vomir.

— Allez, vous deux. On vous attend, a fait la directrice tout de même gentiment.

Elle nous a laissés entrer avant de nous suivre et de refermer la porte.

C'était une grande salle avec de très larges fenêtres que cachaient à moitié des stores verticaux défraîchis. Les seuls meubles étaient une grande table ovale entourée d'une douzaine de chaises à roulettes dépareillées. Malgré la clarté du jour, on avait allumé les néons, qui projetaient une horrible lumière entre le vert, le blanc et le jaune, et qui me donnaient l'impression qu'on était des portraits délavés dans la vitrine d'un barbier. À un bout de la table, un homme d'une cinquantaine d'années était assis et nous regardait entrer. Je me suis demandé si c'était M. Prévost (les parents de Julien et de Claire étaient séparés depuis longtemps et je n'avais jamais rencontré leur père), mais quelque chose m'a dit que ça ne pouvait pas être lui. Ce quelque chose, c'était un carré de cuir noir avec un bout de métal en relief, comme un écusson, qui dépassait de la poche de sa chemise bleue.

Comme les autres s'étaient déjà installés le plus loin possible de l'homme, Julien et moi, on a dû s'asseoir à côté de lui, moi à sa gauche, lui à sa droite. On était donc face à face et, durant l'éternité qui a précédé les premiers mots de la directrice, on s'est regardés en cherchant désespérément à savoir ce qui se passait dans la tête de l'autre. Tout ce que je lisais dans ses yeux, c'était de la panique. Ça devait être réciproque.

Mme Ladouceur, la directrice, était restée debout à côté de l'homme au bout de la table. Enfin, elle a lissé du plat de la main son tailleur bordeaux, a toussoté sèchement et a pris la parole :

— Je vous présente le sergent Paul Clément, du Service de police de la Ville de Montréal. M. Clément est ici pour enquêter sur la disparition d'une de vos camarades, Claire Prévost. J'imagine que, comme vous êtes tous plus ou moins proches d'elle, vous étiez déjà au courant de l'affaire. Enfin, la mère de Claire est très inquiète puisqu'elle est sans nouvelles de sa fille depuis presque deux jours. Tout ce que vous savez pourrait nous aider à la retrouver. Rassurez-vous, vous n'êtes accusés de rien. On veut simplement rassembler le plus de renseignements possibles pour comprendre ce qui s'est passé et la retrouver au plus vite avant qu'il ne lui arrive quelque chose. Voilà, conclut-elle en s'adressant uniquement au policier, je vous laisse avec eux. Si vous avez besoin de moi, mon bureau est juste à côté.

Elle s'est éclipsée en refermant sans bruit la porte derrière elle. Un long silence a suivi, durant lequel le sergent Clément nous a regardés tour à tour.

— Comme votre directrice l'a dit, je suis le sergent Paul Clément, mais vous pouvez m'appeler Paul. Je ne suis pas ici pour vous accuser de quoi que ce soit, a-t-il répété d'un ton sérieux qui ne nous a pas particulièrement rassurés. Mais vous êtes tous des amis ou des proches de Claire, et même si vous ne vous en doutez pas, vous savez sûrement des choses qui peuvent m'aider à faire mon travail. Quand on est policier, on trouve des indices là où on ne s'y attend pas, et chaque information est précieuse, parce qu'elle peut être celle qui va nous conduire à résoudre une affaire. Maintenant, je vais vous demander de vous présenter à tour de rôle en me disant votre nom, votre âge, votre lien avec Claire et les circonstances dans lesquelles vous l'avez vue la dernière fois. Nous allons commencer par toi.

Il a tourné la tête à sa droite et Julien s'est redressé sur sa chaise.

— Je m'appelle Julien Prévost, j'ai dix-sept ans, je suis le frère de Claire, et la dernière fois que j'ai vu ma sœur, c'était mardi matin, quand on s'est rendus à l'école ensemble.

Julien avait tout débité dans l'ordre, comme un bon écolier, et il a soupiré, content d'avoir fait ça comme il faut. Il a regardé à droite, prêt à entendre l'élève suivant, mais le sergent Clément l'a interrogé :

— Et ce matin-là, avait-elle un comportement particulier ? Par exemple, semblait-elle agitée, ou t'avait-elle fait part d'un plan de fugue ?

— Ben…

Julien a semblé réfléchir à ce qu'il fallait taire pour ne pas se mettre lui-même dans la merde, et à ce qu'il fallait dire pour dédramatiser la situation. Une fugue, c'était toujours moins grave qu'un enlèvement. Évidemment, il ne pouvait pas parler du message qu'il tenait de Claire dans sa poche, puisqu'il devrait faire croire qu'il l'avait trouvé dans le courrier en rentrant de l'école, plus tard cet après-midi.

— Je t'écoute, Julien, a fait le sergent d'un ton ferme mais encourageant.

— Ben, je veux dire, Claire, elle parle toujours de partir de la maison. Depuis un an, presque. Elle s'entend assez mal avec ma mère. Lundi, au souper, elle lui avait demandé si elle pouvait aller à un party vendredi soir…

— Demain, donc.

— Oui, demain. C'est chez Jonathan. Mais ma mère a dit non et Claire a fait une crise.

Il se débrouille super bien, ai-je pensé. Il le mène exactement sur la bonne piste, et en plus il ne ment même pas !

— Très bien. Merci, Julien. Tiens, Jonathan, c'est toi, n'est-ce pas ?

Jonathan, qui n'était pas à droite de Julien, a été contrarié qu'on passe directement à lui. Il a froncé les sourcils, sur la défensive, et a répondu avec défi :

— Oui, c'est moi. Nom : Jonathan Péloquin. Âge : seize ans. Lien avec la victime : ami.

— Je vais t'interrompre tout de suite, mon cher Jonathan. Jusqu'à nouvel ordre, ton amie Claire Prévost n'est victime de rien du tout. Je te prierais de faire attention à ton vocabulaire. On n'est pas ici pour déclencher des rumeurs. D'accord ?

Jonathan s'est renfrogné. Sa grande gueule se refermait bien vite devant l'autorité du sergent.

— Bien. C'est donc chez toi que va avoir lieu la fête à laquelle était invitée Claire. Dis-moi, Jonathan, quel genre de fête ce sera ?

— Je sais pas, moi, un party, c'est un party…

— Non, un party pour toi n'est certainement pas la même chose qu'un party pour moi. C'est d'ailleurs pour ça que je n'ai pas été invité. Essaie de répondre sérieusement, veux-tu ? l'encouragea-t-il plus doucement. À tes parties, combien de gens y a-t-il ?

— À peu près une vingtaine de personnes, monsieur le commissaire, a répondu Jonathan d'un ton militaire.

— Sergent. Une vingtaine. Et ces vingt personnes, boivent-elles de l'alcool durant tes parties ?

— Ben… Je l'ai dit, c'est un party, on se réunit pas pour jouer à Donjons et Dragons, monsieur le sergent.

— Tu peux m'appeler Paul. O.K. Si je comprends bien, vous buvez de l'alcool pour vous amuser. D'accord. Ça s'est déjà vu. On ne va pas en faire un cas. Maintenant, est-ce qu'il y a de la drogue, dans tes parties ?

— Je sais pas, moi. Je fais pas la police.

Là, il a eu envie de ravaler ses paroles. Mais il a plutôt ravalé sa salive avant de préciser :

— Je fouille pas les sacs à l'entrée.

— Et tes parents ?

— Mon père est pas là, en général. Il nous laisse tranquille, lui.

— O.K., Jonathan. On y reviendra. On va continuer les présentations, pour le moment.

Tout le monde a répondu aux questions, a été interrompu à l'occasion, et au bout du compte, on n'avait rien appris du tout, à ce qu'il me semblait. Puis, ç'a été mon tour.

— Je suis Victor Bacquias, j'ai deux ans de plus que Claire, je suis surtout l'ami de son frère, alors je sais pas vraiment en quoi je peux vous être utile.

— Es-tu invité au party demain soir ? m'a demandé le sergent sans se laisser démonter.

— Oui, mais je sais pas si je vais y aller. Il faut que j'étudie pour mes examens.

Jonathan a émis un sifflement faussement impressionné en secouant la tête.

— C'est le petit-fils d'une héroïne française, vous savez ? Alors il faut qu'il soit digne de la lignée !

Le policier n'a pas fait attention à l'intervention de Jonathan. Il s'est levé et a fait quelques pas en regardant au sol. Il semblait réfléchir à la façon de poursuivre la discussion. Au lieu de se rasseoir sur sa chaise, il a trouvé une place entre les stores et s'est calé sur le rebord de la fenêtre, un peu de côté, les avant-bras posés sur ses cuisses. Il se donnait un air cool et ça marchait à peu près.

— Bon, écoutez, je vais vous poser une question qui va vous sembler très hypothétique, mais j'ai besoin de savoir à quel point vous pouvez m'aider. Si votre amie Claire vous demandait de l'héberger durant une fugue, le feriez-vous ?

Shit ! que j'ai pensé, instantanément inquiet d'avoir pu prononcer le mot tout haut. Mes épaules se sont crispées et j'ai senti une démangeaison dans mon cou. En me grattant, j'ai constaté que ma nuque était trempée. Je suais des rivières ! Le sergent l'avait sûrement remarqué. Est-ce qu'il en savait plus qu'il le laissait entendre ? Une question comme ça, c'est pas innocent, ai-je ruminé. Il doit savoir quelque chose, il a certainement des indices… Est-ce que Claire aurait parlé de son refuge à quelqu'un ? Ce matin, que faisait-elle ? Que faisait-elle en ce moment même, en mon absence ? Est-ce que mes parents l'avaient vue et avaient contacté la police ? Est-ce que Claire se baladait devant tout le monde pendant que moi, prisonnier à l'école, je croyais qu'elle restait bien en sécurité dans ma chambre ? C'était de la folie. Comment pouvait-elle vivre comme ça, cloîtrée, sans manger, sans voir le jour ? C'était vraiment irréaliste de penser qu'elle resterait là sans rien faire. Elle devait à coup sûr sortir, et si elle sortait, elle se faisait probablement voir par plein de monde. Merde ! *Shit ! Damn !* D'autres mots comme ça me venaient quand Lula a posé ses deux mains à plat sur la table et a répondu :

— En tout cas, moi, si Claire me demandait de venir chez moi, je dirais oui. Et je ferais tout pour qu'elle ne retourne pas chez sa mère, parce que c'est une folle et qu'elle la brime, et qu'elle va faire d'elle une adolescente réprimée et traumatisée si elle continue à être sévère comme ça!

— Wow! a dit Julien en bondissant sur ses deux pieds. Elle est pas si pire que ça, ma mère! Ferme donc ta grande gueule de militante de merde! C'est sûrement à cause d'énervées comme toi que ma sœur est partie!

Le sergent Clément a fixé Julien longtemps, jusqu'à ce que ce dernier s'en rende compte et se rassoie, mal à l'aise. Le policier a semblé noter quelque chose dans sa tête: le frère de Claire savait qu'elle allait fuguer. Je pouvais le lire dans ses pensées. Lula a fait un *tsss!* du bout des lèvres et on a été obligés de changer de sujet.

— Bon. Je vois que tout le monde est un peu sur les nerfs. C'est normal. Quand quelque chose comme ça arrive, on réagit de toutes sortes de façon. Je crois que je vais vous laisser retourner en classe. Mais avant, je vais vous remettre à chacun ma carte. Il y a mes coordonnées dessus. Si jamais il vous vient un souvenir, si vous vous rappelez un détail, appelez-moi. Je peux compter sur vous?

Tout le monde a fait *hum hum*, puis on s'est levés, penauds. Le sergent Clément, toujours assis sur le rebord de la fenêtre, nous a tendu une carte et nous a regardés quitter la pièce. Il était stoïque. Impossible de savoir ce qu'il concluait de cette rencontre. Pour ma part, je ne savais pas très bien quelle impression j'avais faite. Je me sentais seulement bizarre. Et épuisé.

La cloche de midi a sonné et les élèves sont sortis des classes dans un boucan terrible. En me mêlant à la foule, j'ai senti que toute la scène s'effaçait, que ça appartenait dès lors à une autre dimension. Mais entre les têtes et les sacs à dos, j'ai aperçu Paul Clément qui se penchait sur Mme Prévost en posant une main sur son épaule. Julien m'a aussitôt quitté pour aller les rejoindre.

* * *

À la cafétéria, l'ambiance était un peu trop survoltée à mon goût. Cacophonique, même. Julien m'avait retrouvé dans la file et on a décidé d'emporter nos repas dehors pour prendre un peu d'air. On en avait besoin.

— C'est à cause de Claire, tout ça ?

— Je sais pas, man, tout le monde a l'air tellement énervé !

— En tout cas, tu lui as fermé sa trappe, à Lula.

— Ouais… Y a juste moi qui ai le droit de parler contre ma mère. Il me semble que c'est la règle, non ?

— Mets-en !

On est sortis dans la cour avec nos sandwichs et on s'est adossés aux fenêtres de la café, à l'ombre.

— C'est con, pour la lettre. Ç'aurait été plus simple si t'avais pu la montrer, hein ? Qu'est-ce qui est écrit, encore ?

Julien a croqué dans son sandwich avant de répondre – de ne pas répondre.

— C'est pas si grave parce que ma mère va rester avec le sergent Clément tout l'après-midi. Je vais rentrer avant elle et le plan va marcher quand même. Toi, tu devrais profiter de ta justification d'absence pour rester chez vous, tu trouves pas?

— J'sais pas. J'sais pas si ta sœur a vraiment besoin de ma compagnie...

Et juste avant que j'aie à justifier cette phrase énigmatique, *toc!* Quelque chose a heurté la fenêtre dans mon dos. Une poignée de salade imbibée de vinaigrette, apparemment. *Poc, poc, poc!* D'autres restes de nourriture venaient s'ajouter au tableau. Ça fusait de partout. On pouvait entendre les rires et les cris à l'intérieur, mais on ne voyait plus rien: la fenêtre de la café était complètement maculée. L'énervement, ce n'était pas pour Claire, c'était pour la bataille de bouffe, annoncée à demi-mot dans les couloirs depuis une semaine. C'était décourageant comme les élèves pouvaient devenir cons quand on les mettait tous ensemble dans une pièce. Qu'est-ce que ç'allait être au bal?

— Oh, pis merde, j'en ai marre de tout ça. T'as raison. Je m'en vais chez moi. Tant pis pour les cours.

— Hey, attends, tu vas pas y aller, au party, demain?

— Je sais pas... Oui... O.K. Ça me fera peut-être du bien.

— Hey, Vic, attends encore!

Je me suis retourné vers Julien.

— Tu pourrais pas dire à Claire de revenir?

CINQ

★ Personne de l'école n'a appelé chez moi ni le jeudi après-midi ni le lendemain. Le mot de ma mère, que j'avais remis à la secrétaire en partant après la bataille de bouffe, avait fait son effet. J'avais décidé de m'occuper de Claire avant qu'elle soit obligée de rentrer chez elle, et ça ne devrait pas tarder… Elle n'avait plus l'air fâchée contre moi ; du moins, elle m'était reconnaissante de n'avoir rien dit au sergent Clément à propos de sa fugue. On avait pris le parti de se foutre la paix mutuellement. Plus encore, je crois qu'on commençait à s'habituer l'un à l'autre. Julien n'avait pas eu tort quand il avait dit que j'aurais besoin de compagnie. Si j'avais été tout seul, je crois que j'aurais craqué. Claire me donnait de quoi occuper mon esprit. Peut-être même un peu trop…

Elle parlait beaucoup. Autant que son frère. Mais même si elle était plus jeune, elle parlait de façon plus posée. C'était comme si elle avait réfléchi longtemps à chaque phrase qu'elle disait. Elle *exprimait des opinions*, à la différence de Julien, qui le plus souvent meublait le silence. Cette fille-là m'impressionnait vraiment, je m'en rendais compte maintenant. Elle avait quelque chose de déterminé, elle faisait tout avec conviction (tout ce qui avait de l'importance). Alors que moi, souvent, je dis des choses que je ne pense pas, juste par malaise, ou parce qu'au fond je ne sais pas vraiment qui je suis ni ce que je veux.

On était assis par terre dans ma chambre. Claire attrapait des objets qui traînaient autour d'elle, des livres dans la bibliothèque, les tripotait un peu, les reposait à leur place. Moi, je jouais plus ou moins de la guitare, pas fort, juste pour me délier les doigts. Nos regards ne se croisaient pas souvent.

— Tu veux pas que je reste avec toi, ce soir ? Qu'est-ce que tu vas faire, sinon ?

— Oh, je vais continuer à fouiller dans tes affaires. T'as l'air d'avoir des bons livres. Et j'ai un autre message à écrire à ma mère. Je vais peut-être même l'appeler… Il paraît qu'elle capote vraiment.

— Oui, hier, elle capotait, en tout cas…

Claire a eu l'air désolée. Je me suis dit qu'elle devait être en train de revoir à la baisse sa liste de revendications.

— Si tu vas pas au party de Jonathan, ça va avoir l'air louche. Vas-y donc. Avec de la chance, tu vas revenir assez fatigué pour dormir pour de bon. Hier, tu t'es retourné dans ton lit chaque demi-heure.

— Tu me regardais ?

Claire a fait un sourire qui voulait dire je ne sais pas quoi. La même mèche de mardi soir lui est retombée sur le front, mais elle l'a laissée là. Elle a juste baissé un peu les paupières, comme un chat qui hésite entre se rendormir ou demander des câlins. Elle était vraiment belle, au fond. En ce moment, je voyais Claire comme elle était, sans teinture ni breloques, sans pantalons cargo, sans sac de toile… Je la voyais telle qu'elle était et je me disais : elle n'a pas besoin de se *montrer*. Elle *existe*, elle existe réellement !

J'ai posé ma guitare et j'ai commencé à pianoter sur ma calculatrice, pour faire changement.

— Je t'empêche d'étudier, hein ?

— Un peu, oui. J'ai de la misère à me concentrer. C'est sûrement parce que je sais pas pourquoi je fais ça. Si au moins j'avais un plan pour l'avenir… Mais là, j'étudie juste pour les notes. Des fois, je me rends compte que c'est pas assez…

Claire m'a délicatement enlevé la calculatrice des mains en laissant un peu traîner ses doigts sous les miens. Je ne voulais vraiment pas partir.

— Il est déjà huit heures, Victor. Tu devrais y aller.

* * *

Je suis arrivé chez Jonathan par la ruelle. Il habite dans une maison à deux étages avec une super cour arrière, pleine de meubles de jardin, d'arbustes, de plates-bandes. Son père, un avocat, était effectivement sorti pour le laisser faire la fête en paix, comme Jonathan l'avait affirmé lors de l'interrogatoire. Au moins deux fois par année, M. Péloquin lui laissait le champ libre, et quand il revenait, toujours après minuit, il raccompagnait en auto les amis de son fils qui étaient encore là et qui avaient raté le dernier métro. Il savait bien que la plupart buvaient durant ces fêtes, mais il ne disait jamais rien. Il s'arrangeait seulement pour que tout le monde puisse rentrer chez soi en sécurité. Il lui arrivait de jouer au taxi jusqu'à deux heures du matin, parce que sa voiture n'était qu'une minuscule Smart.

Plein de gens étaient déjà arrivés. Sur le coup, j'ai eu envie de m'en aller. Ce n'était pas juste : Claire était partie de chez elle parce qu'elle n'avait le droit de rien faire, et là, juste parce qu'il fallait qu'elle reste discrète, elle s'empêchait de venir au party de l'année alors que moi, qui n'en avais rien à foutre, j'y étais.

Les gens parlaient super fort. C'était sûr que les voisins allaient finir par se plaindre du bruit. Je me suis dit que voir la police deux fois en deux jours, ça ferait beaucoup, et que je partirais avant que ça dégénère. Entre deux buissons, il y avait une sorte d'étang, ou un jardin d'eau, dans lequel un couple se baignait jusqu'aux genoux. Des gens que je savais non-fumeurs tendaient des paquets de cigarettes et en offraient à tout le monde. Ils fumaient maladroitement, les doigts un peu trop écartés, la bouche en cœur, avec des airs de contentement incertain. Jonathan était dans la cuisine, que je pouvais voir à travers la porte-patio, et servait des drinks tout en racontant des blagues. Julien était à côté de lui et riait aux éclats. Je suis allé à sa rencontre.

— Hey.

— Hey ! Vic ! Wow ! T'es venu ! C'est cool ! Je me disais justement qu'on allait peut-être retrouver ma sœur ce soir, elle qui sait pas rater une fête...

Il m'a fait un clin d'œil qui manquait lamentablement de subtilité. Heureusement, tout le monde s'en fichait comme de l'an quarante. Je lui ai répondu par des yeux méchants qu'il n'a pas plus remarqués. Il avait déjà l'attitude d'un gars ivre et il n'était pas encore neuf heures. Il m'a tendu le verre que Jonathan venait de lui servir et je l'ai pris seulement pour ne pas le contrarier. Je téterais ce drink toute la soirée et j'en serais quitte pour avoir l'air d'un gars qui sait avoir du fun.

— Viens voir ça, c'est trop cool !

Julien m'a attiré vers le salon, où Émile, un grand maigre qui s'habillait toujours en emo fini, avait installé son ordinateur portable et l'avait branché à la chaîne stéréo pour faire le D.J. Son t-shirt représentait les bandes verticales d'un égalisateur de son et, branché aux haut-parleurs (!), il s'illuminait plus ou moins selon le volume de la musique. Devant lui, une dizaine de personnes dansaient, parmi lesquelles j'ai reconnu Béatrice, *la* fille qui faisait tripper Julien depuis deux ans, celle devant qui il se sauvait parce qu'il ne s'en sentait pas digne, celle pour laquelle il avait choisi de se cacher derrière un écran au bal pour ne pas avoir à essuyer son refus de l'accompagner. C'est vrai qu'elle était assez belle, et comme elle n'avait pas de chum, à ce que je sache, je me demandais bien pourquoi mon ami ne tentait pas sa chance. Elle aimait visiblement la musique électro, ça leur faisait au moins quelque chose en commun… Moi, je ne danse pas vraiment. J'aime mieux la musique folk, qu'on joue à la guitare et qui n'oblige personne à entrer dans une transe genre tecktonik. Malheureusement, je sentais que Julien tentait de m'attirer parmi les danseurs pour se donner une raison d'approcher Béatrice.

— Vas-y, toi. T'as l'air en super-forme. Tu sais bien que je danse jamais.

— Oh, *come on*, lâche-toi donc, pour une fois. Peut-être qu'il y a une cavalière pour toi ici.

— Je cherche pas de cavalière, merci !

J'ai eu une pensée fugace pour G. I. Jane, qui s'emmerdait dans le silence de mon sous-sol en ce moment même. Il fallait que je retourne auprès d'elle.

— D'ailleurs, je vais pas rester trop longtemps. Mais vas-y, j'te dis.

Je me suis dégagé rapidement pour faire semblant d'aller parler à Émile. J'aime bien ce gars, il parle juste ce qu'il faut, il fait sa petite affaire. Je me suis installé derrière l'ordinateur avec lui et j'ai envoyé un petit signe de connivence à Julien. Il s'est avancé vers les danseurs, qui se sont tout de suite écartés pour lui faire une place parmi eux. Ce sont quand même des gens civilisés, que je me suis dit. J'espère seulement que Julien se rend compte qu'il n'a pas besoin de faire des simagrées pour s'intégrer (il était déjà à la limite de l'enthousiasme supportable).

— Hey, Vic, salut, a fait Émile en notant ma présence du coin de l'œil.

— Salut.

— Julien, il a le droit de sortir, avec ce qui arrive ?

— Oh, t'es au courant ? Je pense que sa mère espère qu'il va trouver sa sœur ici, alors elle fait une exception.

— Faudrait que je fasse jouer un peu de punk-rock, ça pourrait l'attirer…

Il a émis un petit rire du bout des lèvres en replongeant son regard dans iTunes. Il manipulait la souris lentement, sachant que je le regardais, comme s'il me donnait un cours. On est restés comme ça quelques minutes, jusqu'à ce que je me rende compte que Julien avait disparu. Je l'ai retrouvé au comptoir de la cuisine en train de déboucher une bouteille de bière.

— Ça va avec Béatrice ? T'as réussi à lui dire deux, trois mots ?

— Comment tu sais ?!

Il a pris une longue gorgée de bière avant de continuer.

— Je suis peut-être encore un peu trop tendu… Je vais finir ça avant d'y retourner. C'est un bon party, tu trouves pas ?

— Ouin… Calme-toi un peu sur l'alcool, veux-tu ? Personne est pressé de te voir ramper en vomissant.

— Pfff !

Julien a ingurgité la moitié de sa bière d'un coup pour me montrer qu'il était capable d'en prendre. Je me suis dit que ça allait mal finir.

— Va donc danser, ça va te faire du bien. Je vais rester un peu.

Je n'avais qu'une envie, vraiment, c'était de rentrer chez moi. Mais Julien était dans une espèce de frénésie et je ne voulais pas qu'il fasse de bêtises, alors j'ai pris mon mal en patience et je suis retourné au salon, où, entre trois couples qui s'embrassaient, j'ai trouvé Mireille et Jonathan qui, plus pudiques, discutaient tranquillement.

— Vic ! On te voit plus très souvent, ces jours-ci. Tu te caches de quoi ?

« Tu caches quoi ? » aurait été la question appropriée.

— Des distractions. Tu me connais, Mireille, je suis un petit gars sage.

— Un peu trop. Moi, j'ai toujours été convaincue que tu avais en toi une bête de party, une rock star phénoménale. Jonathan a une guitare, t'sais. Tu pourrais en jouer, si tu veux.

— Oh… merci, non, je voudrais pas voler la vedette à Émile. Il fait bien sa job.

Émile, à côté de nous, était si concentré sur la composition d'une liste de lecture dans iTunes qu'il n'a rien entendu. J'ai laissé Mireille et Jonathan et je suis allé au fond de la pièce pour fouiller dans la bibliothèque. De là, je n'avais pas l'air de surveiller, mais je pouvais entendre Julien qui, juste derrière moi, essayait d'établir le contact avec Béatrice. Il s'était d'abord approché d'elle insensiblement, en faisant de petits pas maladroits qui évoquaient à la fois la timidité et une envie pressante. Heureusement, Béatrice était de la race de celles qui dansent avec tellement de plaisir qu'elles ferment les yeux. Lorsqu'elle les a ouverts, Julien était à côté d'elle et la fixait comme un maniaque illuminé.

— De la bonne musique! Ça fait du bien; je suis pas sûr de tripper sur celle des sixties qu'ils vont faire jouer au bal...

— Ah? Pourquoi tu fais la vidéo, d'abord?

— Ben, parce que je suis le meilleur!

Je me suis retourné vers les danseurs pour mieux suivre cette intéressante démonstration de confiance en soi. Julien gloussait en rougissant. Il n'était pas habitué à se vanter et il n'était pas certain d'avoir fait ça comme il faut.

— Émile est pas mal non plus, a ajouté Béatrice simplement, sans méchanceté. Vous auriez pu vous partager la tâche, comme ça t'aurais pu danser avec les autres de temps en temps.

— Ben... comme j'te disais, j'suis pas certain d'aimer ça, cette musique-là. Pas certain non plus que je saurais comment danser là-dessus, admit-il avec un anachronique geste à la Elvis.

— Je vois ça! a constaté Béatrice en riant et en remontant son chandail, qui lui glissait sur l'épaule.

Comme s'il n'avait pas provoqué volontairement ce petit rire, Julien, l'air vexé, a fait volte-face et a quitté le salon à grandes enjambées. Je n'allais tout de même pas le suivre. Qui sait? Il avait peut-être seulement besoin d'aller aux toilettes, tout d'un coup. Avec la bière qu'il venait d'ingurgiter... Je me suis éloigné de la bibliothèque, qui contenait principalement des livres de droit, et j'ai pris la place de Julien à côté de Béatrice, comme pour la lui réserver. Les mains dans les poches, le haut du corps figé, je bougeais à peine les pieds pour justifier ma présence parmi les danseurs (dont certains étaient vraiment doués).

— Il est où, Julien ? a demandé Béatrice, qui en avait perdu un bout en fermant les yeux.

— Aucune idée. Ça va, toi ?

— Hum hum…

Béatrice s'est remise à danser avec entrain. Bon, s'il fallait absolument faire pareil, je n'étais vraiment pas à ma place. J'ai décidé d'aller visiter les autres pièces de la maison en attendant que Julien se montre la bine.

— Je vais trouver l'autre ! ai-je annoncé en laissant Béa à sa transe.

Au rez-de-chaussée, il n'y avait que la cuisine, avec ses armoires à vitrage givré et son comptoir central en marbre, entouré de tabourets et chapeauté de casseroles en cuivre pendues au plafond. Comme tous les meubles avaient été poussés le long des murs pour l'occasion, le salon n'avait l'air de rien, mais on voyait aux tableaux sur les murs qu'il était sûrement aménagé avec goût en temps normal. L'escalier qui menait à l'étage des chambres n'avait pas de rampe ni de contremarches. C'étaient de petits paliers comme suspendus dans les airs, en bois verni ultra-glissant. En haut, que des portes fermées et aucun bruit. Il y avait des photos accrochées dans le couloir : Jonathan à la pêche avec son père, Jonathan à cinq ans devant un gâteau d'anniversaire monumental, Jonathan devant un décor de faux sous-bois, en « 4e année B » ; Jonathan partout et à tous les âges. Son père devait lui vouer un véritable culte. C'est vrai qu'il l'avait élevé seul ; sa femme était morte d'un cancer quand Jo avait à peine six ans.

La première porte à gauche donnait sur la chambre de M. Péloquin. C'était une grande pièce bien décorée, assez grande pour un couple (je veux dire avec deux lampes, deux tables de chevet, deux oreillers), mais je ne pense pas que M. Péloquin avait une conjointe à ce moment-là. Sentant que je pouvais deviner beaucoup de choses dans cette pièce, j'ai préféré en sortir ; le décor harmonieux et le rangement impeccable donnaient l'impression qu'on avait quelque chose à cacher, du moins à pré-server. J'ai délicatement refermé la porte derrière moi.

La deuxième porte était celle de la salle de bain, beaucoup trop grande pour l'usage qu'on devait en faire, avec une baignoire en angle et des miroirs partout. Lorsque j'ai aperçu une serviette encore humide suspendue au mur, le souvenir des cheveux dégoulinants de Claire, prisonnière de mon sous-sol, m'a assailli. Entendre le party suivre son cours sous le sol de céramique était comme se trouver dans un aquarium.

La troisième porte, à droite, devait être celle de la chambre de Jonathan. J'étais curieux de voir ça. Je veux dire, la chambre d'un enfant monoparental gâté pourri qui faisait le frais à l'école... J'étais tenté d'y trouver la trace d'une faiblesse, un vieux toutou, des pantoufles douillettes ou quelque chose comme un talon d'Achille qui traînerait sur le plancher. J'ai poussé la porte.

D'abord, je n'ai rien vu. Aucune lampe n'était allumée. Mais je pouvais deviner une odeur vivante, quelque chose qui n'avait rien à voir avec les surfaces astiquées des autres pièces ou le design froid du mobilier. Puis à l'odeur se sont mêlés des bruits un peu flous de froissements et de… *Shit!* La chemise à carreaux de Jonathan sous mes semelles, un rayon de lune sur les cheveux en bataille de Mireille, un soupir langoureux… Le couple était enlacé sur le lit. Planté devant eux dans la pénombre, je ne savais pas s'il fallait prendre mon temps pour ne pas faire de bruit ou dévaler l'escalier en trombe après avoir claqué la porte. Je crois que j'ai spontanément choisi la deuxième option.

Je me sentais vraiment comme un voyeur, j'étais hyper mal à l'aise. Mais bon, comme personne n'avait réagi et que je n'avais pas été suivi dans ma course, j'ai pensé que je m'en étais bien tiré. Mais ce que je venais d'apercevoir – pas grand-chose, en vérité, que des formes plutôt abstraites – me restait en tête et jurait un peu avec l'agitation et le bruit infernal qui régnaient au rez-de-chaussée. Voir deux amis comme ça me troublait d'une drôle de manière. Je me sentais stupide de les avoir surpris, c'est sûr, mais surtout je constatais combien j'étais seul, dans ce party et dans la vie en général. Je les enviais un peu.

J'ai atterri au bas de l'escalier avec un air de fantôme, je pense, parce que Béatrice et Marie-Julie m'ont regardé longuement.

— T'as trouvé Julien ? a demandé la première.

— N… non, il est pas revenu ?

Béatrice a secoué la tête. J'ai levé l'index pour dire « une minute » et je suis passé devant elle pour me rendre à la cuisine. Sans que je le lui demande, elle m'a emboîté le pas et je l'ai retrouvée derrière moi, trois secondes plus tard, à côté du comptoir. Pas de Julien en vue. On s'est regardés, un peu inquiets. Béatrice ne savait pas que Julien lui courait après, elle se demandait juste où il avait pu disparaître. Moi, je savais qu'il aurait dû être à ses côtés et que sa disparition n'augurait rien de bon.

— Tu sais où est la salle de bain ? Pas celle d'en haut ! Je veux dire, je viens d'y aller : il était pas là.

— Oui, c'est juste là.

Elle a désigné du doigt une porte fermée, et on est allés coller l'oreille dessus. D'autres bruits vivants, organiques, se faisaient entendre à l'intérieur, mais d'un autre genre que ceux que j'avais entendus à l'étage.

— Julien ? Julien !

— Essaie d'ouvrir la porte, on verra bien, a proposé Béatrice.

Elle n'était pas verrouillée. Il devait être entré là en toute urgence. Maintenant, mon pauvre ami était penché sur la cuvette, mou comme un cadavre frais, blême comme du tofu, sa longue frange de cheveux raides et gras lui tombant sur les yeux. La cuvette était couverte de petites gouttes d'un jaune douteux. Julien restait la face dedans, incapable de se relever. Il avait les yeux vitreux et toussotait de temps en temps, comme si c'était la seule chose qui lui restait à faire. À ma grande surprise, Béatrice a éclaté de rire et s'est agenouillée auprès de lui pour lui remettre les cheveux derrière l'oreille.

— Pauvre Ju! As-tu mangé quelque chose qui est passé de travers?

Pfff! Faisait-elle semblant de ne pas comprendre? À son ton, j'ai su que oui.

— Oh, là là! Ça doit être un empoisonnement alimentaire. Tu devrais boire un grand verre d'eau, ça va te remettre, tu vas voir.

Elle est sortie de la salle de bain en prenant bien soin de refermer la porte derrière elle. Je l'ai entendue dire à quelqu'un qui attendait son tour d'essayer les toilettes à l'étage. Julien a gémi quelque chose et a craché un long filet de bile. C'était vraiment dégoûtant comme scène. Il devait être mort de honte de se montrer comme ça devant la fille de sa vie. J'ai posé la main sur son épaule.

— Ça va, Julien?

Un grognement caverneux et faiblard s'est fait entendre.

— C'est pas grave, elle s'en fout, je te jure. Essuie-toi un peu avant qu'elle revienne.

Cette phrase lui a comme redonné vie. Il s'est redressé tant bien que mal et a déroulé un long morceau de papier hygiénique avec lequel il s'est épongé les lèvres. Je lui ai passé une serviette humide dans le cou et sur le front. Julien m'a laissé faire en levant les yeux au plafond; il avait un air

de peinture religieuse avec son regard mélodrama-
tique et son teint cireux.

— Reste pas comme ça, mon gars, elle va
revenir.

Alors mon ami a déployé un effort surhumain
pour aller s'adosser au meuble-lavabo pendant que
je tirais la chasse d'eau. C'est à ce moment propice
que Béatrice a ouvert la porte et lui a tendu un grand
verre d'eau avec des glaçons.

— Tiens.

— M'ci…

Elle m'a adressé un clin d'œil complice pendant
que Julien buvait son eau à petites gorgées. J'ai aussitôt pensé : « J'aimerais qu'une fille comme ça sorte
avec Julien et prenne soin de lui. » Et comme si elle
avait lu dans mes pensées, elle a baissé les yeux sur
mon ami et lui a dit :

— C'est dommage que tu participes pas au bal
comme tout le monde. Je t'aurais bien accompagné,
moi. Pour te surveiller !

Cette fois, elle a éclaté d'un rire franc qui a
résonné sur la céramique. Puis elle est repartie
faire la fête. Julien m'a regardé sans trop savoir
comment interpréter ses paroles. Comme je ne
savais pas plus, j'ai juste ri moi aussi et, en prenant
sa main comme pour un bras de fer, je l'ai hissé sur
ses pieds.

— Ça devait être quelque chose dans le punch, a
estimé Julien en s'agrippant à mon épaule.

— Oui. La vodka, je gage. Viens. Je vais aller te
reconduire chez vous.

Il était probablement minuit, ou pas loin en tout cas. J'avais traîné mon vélo d'une main et Julien de l'autre sur deux kilomètres. Puis j'étais rentré à toute vitesse. J'avais le dos en compote, les paupières lourdes comme du plomb, je méritais bien une vraie bonne nuit de sommeil.

C'est presque en surfant que j'ai dévalé les trois marches jusqu'à la porte-patio du sous-sol, avec la joie quasi enfantine de me jeter dans mon lit d'un instant à l'autre. Mais quand je suis entré dans ma chambre, mes espoirs se sont effondrés. Une surprise m'attendait : Claire, endormie dans *mon* lit.

Elle était couchée sur le côté, les deux mains jointes en prière sous sa joue. Sa jambe était repliée par-dessus un oreiller qu'elle avait mis contre elle – ce que j'ai interprété un peu rapidement comme étant l'intention de remplacer ma présence. Ses longs cheveux étaient étalés autour de sa tête comme une tache d'encre. Elle avait la bouche entrouverte. Ses boxers et son t-shirt étaient entortillés autour de son corps, un bout de drap recouvrait sa taille. Elle ne ronflait pas.

Je suis resté debout à côté du lit une bonne minute à la regarder. Pendant un moment, j'ai eu l'idée de tousser pour la réveiller et reprendre ma place, mais j'ai laissé tomber. Elle avait l'air telle-ment bien. Puis j'ai voulu me glisser près d'elle sous le drap, il y aurait eu de la place pour deux. Mais ce n'était pas correct : j'avais déjà profité de sa faiblesse pour l'embrasser (quelle bêtise !), je n'allais pas faire la même gaffe et lui imposer ma présence quand elle n'avait même pas l'occasion de refuser. Alors j'ai pris le parti de m'asseoir près du lit, sur le tapis, et j'ai posé un doigt, deux doigts, toute la main sur sa cheville. Claire a frémi insensiblement et a reniflé un petit coup, puis elle s'est replongée dans l'immobilité la plus totale. Cette cheville-là est la plus belle que j'aie vue de ma vie, me suis-je dit. J'étais tout à fait absorbé par sa contemplation, obsédé presque. Toute mon envie de dormir a immédiatement cédé la place à la concentration que je mettais à observer ma main sur sa cheville. Ma paume sur l'os saillant du pied. La cheville sous ma main. La peau de la cheville entre la peau de mes doigts. C'était vertigineux…

Ça annulait le baiser que j'avais posé en traître sur elle, à l'autre bout de son corps, deux jours auparavant. Oh, j'aimerais qu'elle s'en rende compte.

Après je ne sais trop combien de temps, j'ai retiré mes doigts un par un et je me suis mis au lit, dans son sac de couchage. J'étais beaucoup plus grand qu'elle ; mes jambes dépassaient du matelas de camping jusqu'aux mollets, et la couverture m'arrivait à peine à la poitrine. Elle utilisait les deux oreillers, alors j'ai plutôt étendu le bras pour ramasser tous les vêtements qui traînaient sur le sol et j'en ai fait un tas sur lequel j'ai posé la tête. L'inconfort était total. Mais dans mon oreiller improvisé, j'ai plongé le nez et reconnu l'odeur de pêche du savon de Claire.

J'ai dû dormir, et profondément en plus, parce que quand je me suis réveillé samedi matin, il était dix heures et demie, le soleil entrait par la fenêtre, le lit était fait et Claire était partie.

DEUXIÈME PARTIE ★ SANS CLAIRE

★ J'ai eu beau chercher des indices, inventer des hypothèses et même prendre mon mal en patience, je ne comprenais pas. Claire avait bel et bien disparu. Elle ne m'avait pas prévenu de son départ. Elle n'en avait même pas évoqué l'idée. Après avoir tourné en rond dans ma chambre, fouillé le rez-de-chaussée et la cour, je ne pouvais toujours pas me résoudre à l'idée qu'elle n'était plus là. Elle est partie acheter des croissants, me suis-je dit stupidement. Mais il fallait me rendre à l'évidence : elle n'était pas allée nous chercher un petit-déjeuner romantique, ni faire son jogging autour du pâté de maisons, ni chercher des vêtements chez le nettoyeur ! Dans quel mauvais téléroman est-ce que je vivais ? Claire avait disparu ! Sans prendre son *sleeping bag*, sans prévenir, sans faire de bruit, comme la voleuse qu'elle était !

Et puis non, ça n'était pas possible, elle n'avait pas pu me faire ça.

L'idée de plus en plus nette qu'elle n'était pas partie de son plein gré s'installait dans mon esprit. Les éléments se mettaient en place dans un scénario plausible qui incluait un petit tour dans le quartier, le sergent Clément en patrouille, une arrestation… Pire, la version pessimiste : pareille à la première jusqu'à l'arrivée du sergent, puis se poursuivant par la fuite de Claire, traversant la rue à toutes jambes et se faisant frapper par un VUS. Il fallait absolument faire quelque chose. Appeler chez elle. Avertir tout le monde de sa disparition avant qu'il lui arrive un accident grave. Quitte à avouer qu'elle s'était cachée chez moi pendant trois jours.

Sans prendre le temps de m'habiller, j'ai attrapé le téléphone et j'ai composé le numéro de Julien. Il a répondu avec une voix d'outre-tombe. Il ne devait pas être debout depuis longtemps.

— Victor ?

— Ju, il faut que je te dise quelque chose, l'ai-je coupé d'une voix alarmée.

— Non, moi en premier : merci, man.

— Oh, c'est rien, t'sais. J'allais quand même pas te laisser te noyer dans les toilettes.

— Ouais, c'était pas fort, hein ? Mais je voulais dire merci pour Claire.

Pauvre Julien. Il m'avait fait confiance. Quand j'allais lui apprendre…

— Euh, justement, à propos de Claire…

Les mots ne voulaient pas sortir. Au fond, je ne savais pas ce que j'avais à dire, puisque je n'avais aucune idée de ce qui s'était passé entre minuit et dix heures. Alors j'ai dit le peu que je savais, même si ça sonnait comme la fin du monde :

— … Elle est plus chez moi, ta sœur. Elle a disparu.

Il y a eu un moment d'hésitation au bout du fil qui m'a fait regretter mon manque de délicatesse.

— Ben, Vic, je le sais qu'elle est plus chez vous. Elle est ici !

Là, tout mon corps s'est décontracté, comme si on avait ouvert une valve et que mon sang avait repris sa circulation. Le ton de Julien était si calme que j'ai su tout de suite qu'il n'était rien arrivé de grave, qu'elle était saine et sauve. *Ma* petite Claire, retrouvée, sauvée, au chaud chez elle avec sa famille et non pas écrasée sous les roues d'un VUS. Fiou! Je voulais des détails.

— Vous l'avez trouvée où? C'est la police qui vous l'a ramenée?

— Ben... non, Vic, elle est rentrée d'elle-même... C'est bizarre... Elle a juste sonné à la porte avant et elle est rentrée. Elle t'a rien dit?

Mes muscles se sont tendus à nouveau comme sous l'effet d'un coup de poing. Elle était rentrée d'elle-même? Elle m'avait abandonné?

— Passe-la-moi! ai-je ordonné d'une voix sèche.

— C'est que...

Julien parlait comme on parle à un fou qu'on ne veut pas exciter.

— C'est qu'elle est en punition, tu comprends. Elle n'a pas le droit de parler au téléphone.

— Passe-la-moi, Julien! Il doit bien y avoir un moyen.

J'ai entendu mon ami reposer le combiné et farfouiller dans ses affaires avant de sortir de sa chambre. Je ne sais pas ce qu'il trafiquait, mais ç'a duré une éternité, pendant laquelle je tapais du pied sur le beau tapis de Lucille Bacquias et serrais de plus en plus fort le téléphone dans mon poing. Après tout le mal que je m'étais donné pour elle!

Après que je lui avais prêté mon lit en plus ! Elle aurait à me fournir des explications !

Puis j'ai entendu quelques pas feutrés, le bruit d'un combiné qu'on décroche, quelques mots chuchotés, d'autres pas, un combiné qu'on raccroche, une respiration, et enfin :

— Victor ?

La petite voix de Claire, douce, heureuse.

— Claire ? Comment ça se fait que…

Avant que je ne l'accuse de quoi que ce soit, Claire m'a interrompu :

— T'as pas vu mon message ?

— Quel message ?

— Quand je t'ai vu, ce matin, couché en boule par terre sur le matelas trop petit, boudiné dans le sac de couchage, je me suis dit que je t'en demandais trop, que je t'empêchais de vivre, que t'en avais fait assez pour moi. J'ai pensé qu'il fallait te laisser en paix. Je voudrais pas que tu coules tes examens à cause de moi. Maintenant, tu vas pouvoir étudier tranquille.

Je n'en croyais pas mes oreilles. C'était pour moi qu'elle était partie ! Pendant que Claire continuait de parler, je cherchais partout le message qu'elle disait m'avoir laissé. Je ne l'ai trouvé nulle part.

— Tu m'as laissée dormir dans ton lit, Victor.

Claire avait dit ça comme si elle m'apprenait une grande nouvelle, comme si elle voulait que je me rende compte de quelque chose d'important. Ou comme s'il y avait une signification cachée dans cette affirmation.

— Oui… C'était un test ?

— Peut-être…

— Pourquoi tu es partie ?

— Je te l'ai dit. Je voulais pas être un fardeau pour toi.

À ce moment-là, mes yeux se sont posés sur un coin de la chambre. Je me suis approché, certain d'y trouver ce que je cherchais. Il y avait effectivement un message, rédigé d'une écriture de fille avec les points sur les *i* un peu ronds, au dos d'une partition de guitare. Les mots « lit », « études », « fardeau » y étaient ; je n'en ai pas vu plus. Et sous la feuille de papier, les boxers de Claire, bien pliés en quatre : un petit paquet-cadeau auquel il manquait juste un ruban.

— J'ai ton message ! Je vais le lire tout à l'heure…

— Non ! Lis-le tout de suite ! a-t-elle supplié.

Ça me gênait un peu, j'aurais préféré continuer de parler normalement. Le ton langoureux de Claire m'intimidait. Je savais que maintenant, quelque chose entre nous avait changé. C'était le moment de passer aux aveux et je n'étais pas sûr d'être prêt à ça. Mais est-ce qu'on est jamais prêt à faire une déclaration d'amour ?

J'ai lissé la feuille de papier et lu, à voix basse et en escamotant quelques syllabes :

Mon cher Victor,
Tu m'as accueillie chez toi, il y a trois jours, pour faire plaisir à ton ami. C'était déjà beaucoup !

Puis tu m'as sauvée des policiers qui me pour-
suivaient, tu as négligé tes études pour me tenir
compagnie, et en plus, tu m'as laissée dormir dans
ton lit! Je ne croyais jamais que tu allais passer ce
test-là. Maintenant, tu dois te préparer aux vrais tests
et moi, je dois te laisser tranquille. J'aimerais penser
que je n'étais pas dans tes pattes, mais il faut bien que
je me rende à l'évidence; je suis un fardeau pour toi.
On se reverra aux vacances, si jamais j'en ai!

Je t'embrasse, dans le cou si tu veux...

— ... « Signé : Claire », ai-je terminé en reprenant mon souffle. Wow... Claire... Je sais pas quoi
dire. Merci ? J'espère que tu penses pas que t'étais
dans mes pattes pour vrai. En fait... je m'ennuie déjà
de toi.

J'espérais que ça suffirait, comme déclaration.
Je n'ai jamais été fort dans les mots d'amour, et en
plus, je comprenais moi-même à peine quels étaient
mes sentiments pour elle.

— Je m'ennuie aussi, a-t-elle admis d'une petite
voix qui souriait. Et j'aimerais ça qu'on reprenne le
baiser face à face, une bonne fois. Quand j'aurai
enfin purgé ma peine.

Cette proposition a eu l'effet inévitable de me
donner des démangeaisons dans le cou. Ce baiser-
là, je ne voulais plus y penser, et j'aurais aimé qu'il
s'efface aussi de sa mémoire à elle. Mais comment
aurait-elle pu savoir que ce n'était pas exactement
un baiser d'amour ? Comment aurait-elle pu savoir
que je lui avais menti, elle qui me faisait assez

confiance pour m'« ouvrir son cœur », comme on dit dans les romans ? On ne pourrait pas commencer à flirter officiellement tant que je ne lui aurais pas dit la vérité. J'ai donc pris mon courage à deux mains et j'ai tout avoué :

— Ce baiser-là, Claire, il était laid. Il faut que tu le saches.

— Ah, ça, a-t-elle dit en rigolant, je le sais que c'était pas le plus beau bec romantique au monde. C'était assez évident !

— Non… tu comprends pas… C'était pas juste le bec qui était raté, c'était toute l'affaire… Je t'ai menti, Claire. J'ai fait semblant qu'il y avait la police juste pour que tu voles pas le veston.

Silence de mort à l'autre bout du fil. Silence de plus en plus accusateur.

— Claire, c'était pour ton bien. Et t'embrasser, je l'ai fait spontanément quand même. Je voulais m'excuser de t'avoir fait peur…

— Si j'avais su, Victor, si tu m'avais laissé le choix, je serais partie tout de suite. Et t'aurais plus jamais entendu parler de moi ! Non mais, pour qui tu te prends ?!

Sa réaction était à prévoir. Cette fille était l'authenticité même. Elle ne pouvait pas aimer un menteur manipulateur comme moi. Qu'est-ce que j'avais imaginé ?

— Peux-tu me pardonner, Claire ? Parce que c'est vrai, ce que je te dis : je m'ennuie de toi, je t'ai…

— Oh ! Essaie même pas de dire ce que tu t'apprêtes à dire, Victor Bacquias ! T'es juste un menteur !

Un menteur peureux et un emmerdeur ! C'est tout ce que j'ai à dire là-dessus ! C'est tout ce qu'on avait à se dire !

Claire avait levé le ton outre mesure. Je ne savais plus quoi faire pour la calmer. Elle était hors d'elle, et moi aussi, hors de moi, loin, perdu, paumé, stupide. Elle avait parlé assez fort pour que sa mère se rende compte que sa fille était au téléphone malgré l'interdiction qu'elle lui avait infligée. J'ai entendu qu'on décrochait d'une autre pièce.

— Claire Prévost, raccroche ce téléphone tout de suite. Tout de suite, compris ?

— Non, Claire, attends ! Il faut que je t'explique !

— Qui est à l'appareil ? a crié Mme Prévost avec sa voix de corneille. C'est toi, Victor ?

— Claire, il faut que tu comprennes… C'était pour te protéger !

— Claire est en punition ! Elle n'a pas le droit de parler au téléphone avec qui que ce soit. Hein, Claire ? Raccroche, maintenant, ou sinon…

Clic. Plus rien. Je perdais Claire pour la deuxième fois en une heure. Avait-elle raccroché pour obéir à sa mère ou pour me faire suer ? Impossible de le savoir. Et j'étais coupé d'elle pour une durée indéterminée. Une fugue, pour sa mère, ça devait entraîner une sentence assez grave. Elle serait peut-être séquestrée chez elle pendant tout un mois. Tout un mois qu'elle aurait pour mûrir sa rage contre moi, ou pire, pour m'oublier.

★　★　★

Sans Claire, en ce chaud dimanche matin, la chambre du sous-sol était bien vide. Un vide qui amplifiait les bruits de pas au-dessus de ma tête. Va-et-vient de mon père qui faisait ses bagages, de ma mère qui ne savait plus où se cacher pour pleurer. Le couple Bacquias-Thérien se donnait un vrai break. Tout autour de moi était en break. À commencer par mon cerveau, qu'on avait comme « mis en veille », qui avait surchauffé et n'était plus bon à rien. Si au moins il avait été efficace sur le plan « révision des formules de physique et des grandes dates du xxᵉ siècle », ç'aurait déjà été ça de pris. Mais rien. Je ne faisais rien de bon. Je n'arrivais jamais à me concentrer plus de deux minutes ; mes jambes flageolantes me traînaient à peine des toilettes à mon bureau, du lit à la cuisine, où je me préparais comme un automate des sandwichs toujours pareils, toujours insuffisants à me remettre d'aplomb. J'errais comme un fantôme. Je n'étais pas mieux que la moitié de moi-même. Je n'étais pas mieux que moi-même, un idiot qui avait laissé filer la fille de ses rêves.

J'avais tenté d'appeler Claire plusieurs fois durant la journée, pour m'expliquer, mais sa mère coupait court à toutes mes tentatives. J'étais tombé sur Julien, une fois, mais il ne pouvait plus rien faire pour m'aider. Il ne comprenait pas encore combien c'était important pour moi de parler à sa sœur. Il ne savait pas ce que je pouvais bien lui vouloir.

Me remettre à étudier, c'était la seule chose à faire. Réussir mes examens, penser au reste plus tard. Plus tard…

* * *

Lundi matin. Examen de physique. Ce serait le plus facile. Ça ne devrait pas trop mal aller, m'étais-je convaincu. C'est vrai que pour la première fois de ma vie, le cahier de feuilles bleues, l'espace de douze caractères pour mon code permanent, les innombrables indications et consignes ne me rendaient pas nerveux du tout. Les formulaires et les crayons bien taillés étaient rassurants. J'ai regardé l'heure d'un œil, les questions de l'autre ; j'ai eu fini bien avant l'expiration du délai réglementaire.

Comme j'avais du temps à tuer, je suis allé revoir mes notes d'histoire à la bibliothèque durant quelques heures, en espérant que… Un plan idiot puisque je savais bien que Claire n'y allait jamais. Peut-être qu'inconsciemment je n'étais pas prêt à l'affronter. C'était lâche, mais c'était comme ça. Après trois heures à grignoter un muffin et à me noyer dans le manuel intitulé *Notre siècle* (dont les coins racornis et les couleurs délavées confirmaient le titre à leur manière), ç'a été le temps. J'ai gravi les escaliers d'un pas mollasse jusqu'à la classe de Mlle Béjar, déjà remplie d'élèves concentrés et silencieux. C'était loin de l'animation qui régnait d'ordinaire dans ses cours. Un grand silence, ai-je pensé. Puis la cloche a sonné.

— Rangez vos manuels, a ordonné Valérie Béjar sans même nous saluer. Ne gardez sur votre bureau qu'un stylo et un correcteur liquide, si vous en avez. Je laisse à l'avant des dictionnaires – pas celui des noms propres, quand même, n'exagérons rien –

pour ceux qui voudraient vérifier leur orthographe. Je vous conseille de faire ça une fois que vous aurez répondu à toutes les questions. Le français compte pour dix pour cent de la note. Ça y est, vous êtes prêts ? Léon Pérez, je vois un livre sur ton bureau, range-le tout de suite. Bon ? C'est parti.

Elle donnait l'impression de n'avoir pas beaucoup dormi. Ses cheveux étaient moins lisses que d'habitude, ses vêtements plus froissés, son regard moins brillant.

Elle a contourné son bureau pour distribuer les cahiers d'examen. Son petit speech fini, qu'elle avait fait avec un faux sourire en mode pilote automatique, Valérie a baissé les yeux et le coin des lèvres. C'est peut-être nul de dire ça, mais ça m'a comme fait plaisir de voir que je n'étais pas le seul à me morfondre.

— Merci, ai-je dit quand elle m'a tendu mon cahier (alors que tout le monde avait fermé sa trappe !).

À côté de moi, Jonathan Péloquin se massait le front dans une attitude désespérée. Il avait l'air très nerveux. C'est vrai qu'il avait niaisé pas mal durant le dernier cours – celui où Valérie avait parlé de ma grand-mère –, et une question assez compliquée portait justement sur Mai 68. C'était plutôt idiot, puisqu'on n'y avait accordé qu'une heure la semaine d'avant. Mais ça devait faire partie des exigences du Ministère. Jonathan, les yeux ronds sur son examen, paraissait ne pas y croire. Son genou tremblait. Il devait regretter d'avoir fait le party plutôt que d'étudier, vendredi. Comme si ce que j'avais vu dans sa chambre, ce soir-là, me rapprochait de lui, j'ai ressenti quelque chose qui devait être de la compassion.

Je venais tout juste de commencer à répondre à la question 1 — «Quels événements ont concouru à déclencher la Première Guerre mondiale? Répondez en dix lignes» — que j'ai entendu un *psst!* à ma droite. «Psst, Vic!» J'ai tourné le regard en bougeant ma tête le moins possible, et j'ai aperçu Jonathan, penché dans l'allée entre nos pupitres, qui me faisait signe.

— As-tu un Kleenex? a-t-il chuchoté en se couvrant le nez d'une main.

J'ai secoué la tête pour dire que je n'en avais pas. Mais il a insisté, croyant sûrement que je voulais juste qu'il cesse de me parler.

— *Come on,* Vic, donne-moi-z-en un!

Je n'ai pas répondu tout de suite. J'ai fixé mes yeux sur mon examen et laissé passer quelques secondes pour être certain que personne ne nous avait repérés.

— J'en ai pas, Jo. Arrête, ai-je murmuré entre mes dents.

Comme c'est lui qui s'avançait vers moi, c'est lui que Valérie Béjar a sermonné:

— Jonathan, tes yeux sur ta copie!

Jonathan s'est reculé et, résigné, s'est remis à lire. Il m'avait un peu déconcentré. Après quelques secondes à essayer de reprendre le fil, je me suis interrompu. Quelque chose clochait: moi, quand j'ai besoin de me moucher et que je n'ai pas de Kleenex, je renifle. Jonathan, non. J'ai tourné la tête vers lui et j'ai compris pourquoi : une bulle de sang lui sortait du nez. Il respirait par la bouche et sa tête cherchait un angle pour que ça arrête de couler.

— Jo, psst, tu devrais aller à l'infirmerie.

Jonathan, trop content que je m'occupe de lui, s'est retourné vivement vers moi et s'est approché à quelques centimètres de mon visage.

— Oh, Vic, je veux pas couler mon exam. Tu connais mal mon père. Il va me tuer. Juste un Kleenex, ce serait correct…

— Jonathan Péloquin, qu'est-ce que j'ai dit ? a aboyé Valérie d'un ton extrêmement autoritaire que je ne lui connaissais pas. Tes yeux sur ta copie, c'est clair ?

Jonathan s'est tu. Il faut dire qu'il avait déjà été pris à tricher à un examen, l'année dernière, et qu'on le gardait à l'œil. Tous ses actes étaient dorénavant jugés suspects, et aujourd'hui, ils l'étaient sûrement. Chat échaudé… Il limitait ses rapports avec les profs. Pourtant, il fallait bien qu'il règle son problème.

— Vic ! S'te plaît, fais quelque chose !

Il a baissé sa main pour que je voie. Le sang coulait de plus belle. La peau entre son nez et sa lèvre en était couverte. Ça lui faisait une moustache foncée. Comme Hitler, que je me suis dit.

— T'en as toujours, d'habitude, a-t-il chuchoté.

Et pour me prouver que j'avais tort de le laisser en plan comme ça, il s'est penché sur mon sac à dos, l'a attiré vers lui et s'est mis à fouiller dedans frénétiquement. Il a vidé une poche à la fois, éparpillant les manuels et les cahiers de notes par terre entre nos deux pupitres. Inutile de vous dire que ça n'était pas très discret. Valérie l'a tout de suite aperçu et, démesurément irritée par sa conduite, elle a hurlé :

— O.K., Jonathan, c'est assez ! Il me semble que c'est clair qu'on ne parle pas durant un examen. C'est pas parce que Victor est meilleur élève que toi que tu peux fouiller dans ses affaires et copier ses réponses ! Tu vas aller expliquer ça à la directrice. Tout de suite !

— Mais, madame… a fait Jonathan en se levant et en écartant les mains.

L'une d'entre elles avait trouvé ce qu'elle cherchait : un paquet de mouchoirs qu'il brandissait bien haut comme un drapeau blanc pour demander une trêve.

Mais comme si elle s'était refusée à voir ce qui pourtant crevait les yeux, Valérie, pour toute réponse, a tendu le bras vers la porte dans un grand geste sans appel. Jonathan a ramassé son sac et est sorti de la classe, voûté, en s'épongeant le nez avec un de mes mouchoirs.

C'était tellement injuste ! Jonathan, terrifié à l'idée d'échouer, avait finalement été expulsé pour rien du tout. Et elle… Elle ! elle n'avait rien voulu comprendre ! Choqué, j'ai bondi sur mes pieds.

— Vous voyiez pas qu'il avait besoin d'aide ?

— Victor Bacquias, assieds-toi ! Tout de suite ! Tu déranges tout le monde. Fais pas ton Jonathan !

Quelques rires bêtes ont fusé dans la classe, mais Valérie a jeté un regard assassin à la ronde et tout le monde s'est tu. Elle était visiblement de mauvaise humeur et elle le faisait payer aux autres. Moi, trop frustré pour laisser faire ça, j'ai pris mon sac à mon tour et je me suis avancé vers elle dans une attitude de défi. J'étais entièrement commandé par un sentiment de révolte et, à vrai dire, je ne sais pas si je mesurais bien les conséquences de ce que j'étais en train de faire.

— Il faut que j'aille expliquer ce que j'ai vu à Mme Ladouceur. Tu n'avais pas le droit de crier après lui comme ça.

Voilà, je la tutoyais comme elle me l'avait demandé, mais au lieu de montrer une certaine familiarité, c'était plutôt la preuve que j'avais perdu du respect pour elle. J'arrivais devant son bureau, lentement et fièrement, sous les regards pétrifiés de toute la classe. Je faisais une tête de plus qu'elle, et comme si elle se mesurait à un adversaire dans un combat de coqs, Valérie a bombé le torse, a posé ses poings sur ses hanches et m'a menacé :

— Si tu sors de cette classe en même temps qu'un autre élève, tu mets ta note en péril. Penses-y.

— Jonathan a besoin d'aide, et si c'est pas toi, c'est *moi* qui vais l'aider. Je m'en fous, de l'examen !

— Ah ! Tu t'en fous ! Tu préfères jouer aux héros. Eh bien, tu sauras que ta grand-mère, elle, elle a attendu d'avoir un diplôme ou deux avant d'endosser la cause de la veuve et de l'orphelin.

Ma grand-mère, encore elle ! Valérie en faisait une obsession, on aurait dit. Plusieurs élèves, dérangés, la dévisageaient sans comprendre.

— Ma grand-mère, non seulement elle serait sortie de la classe, mais elle aurait invité tous les autres à la suivre !

Et je suis parti. Dans mon élan, j'ai claqué la porte et ç'a fait un grand bruit qui a résonné dans le couloir silencieux. À grandes enjambées, j'ai atteint le bureau de la directrice dans un temps record.

— Mme Ladouceur est en réunion. Tu peux attendre ici si tu veux, m'a interrompu la secrétaire.

— Ça peut pas attendre. Désolé.

J'ai ouvert la porte et je suis resté dans l'embrasure, me préparant à ce qui allait suivre ou considérant l'effet que je faisais à Mme Ladouceur, qui s'était instantanément braquée, les deux paumes à plat sur le bureau, les coudes en l'air, prête à bondir.

— Tiens, tiens, monsieur Bacquias. On ne vous a pas appris à frapper avant d'entrer, à ce que je vois ! m'a-t-elle accueilli, ironique. Va attendre dans le secrétariat, s'il te plaît.

— Je suis venu pour Jonathan. J'aimerais vous expliquer ce qui s'est passé durant l'examen d'histoire.

— Tu as déjà fini ton examen ? a-t-elle demandé, incrédule, en regardant l'horloge au mur.

Il n'y avait même pas vingt minutes que le début avait sonné.

— Non, madame, je suis sorti avant la fin.

— Tu sais quelles conséquences cela peut entraîner ?

— Je connais les conséquences, madame, oui.

SEPT

★ Quand je suis sorti de l'école, une demi-heure après la fin officielle des classes — on m'avait accordé du temps supplémentaire pour finir mon examen —, quelques élèves traînaient encore dans la cour. Parmi eux, Julien, Béatrice et Mireille. Ils se sont jetés sur moi comme si je venais de gagner un Oscar.

— Hey, Jonathan m'a dit ce que t'avais fait pour lui. T'es vraiment cool, Victor ! a commencé Mireille.

— Mon gars ! Un justicier ! a enchaîné Julien. Si j'avais vu ça venir… Moi qui pensais que Valérie Béjar était la femme de ta vie !

— N'importe quoi, Julien Prévost. J'suis pas amoureux d'une prof !

— Ben, tu nous l'apprends, a ajouté Béatrice sur un ton coquin. La rumeur courait, tu sais…

À une certaine période de l'année, je n'aurais pas été aussi catégorique, je l'avoue. Mais bon, après ce qui venait de se passer, je préférais ne pas en parler. Julien a fait un pas de côté vers Béatrice et lui a adressé un grand sourire. Une véritable complicité naissait entre ces deux-là, c'était beau à voir. Pour un peu, il lui aurait passé un bras autour des épaules. Ça le démangeait. Mais c'en était pas encore là.

— Ouais, la rumeur courait, mais là, tu lui as coupé les jambes !

Et il a ri nerveusement, accompagné par Béatrice, qui m'a donné une petite tape sur l'épaule.

Un peu gêné, j'ai pris le bras de Julien pour l'entraîner à l'écart. Les filles ont fait mine de rien et se sont rassises par terre. Quand on a été à quelques mètres d'elles, je me suis planté devant mon ami et j'ai demandé :

— Peux-tu me rendre un service, Julien ? Il me semble que c'est à ton tour.

— Ben oui, Vic.

— Appelle-moi pas Vic.

— C'est tout ? Ça va être *tough* !

— Ben non, c'est pas ça. Écoute, il faut absolument que je parle à ta sœur. C'est super-important. Pose pas de question, O.K. ? Je vais aller chez moi et je vais téléphoner chez vous, disons à cinq heures précises – *my God!* je parle vraiment comme toi quand tu te fais des films d'espionnage dans ta tête ! Bon, n'empêche, écoute mon plan. Réponds toi-même et arrange-toi pour montrer à ta mère que l'appel est pour toi. Quand ce sera *safe*, passe le téléphone à Claire, O.K. ?

Julien, trop occupé par ses propres amours, ne comprenait visiblement pas ce qui se passait. Mais pour une fois, il n'a pas insisté pour avoir le fin mot de l'histoire.

— C'est cool, mon gars. Cinq heures pile.

— Oh, et entre-temps, si tu pouvais lui raconter l'affaire de Jonathan, ça va l'impressionner… Je sais que ça fait vantard, mais…

On s'est regardés d'un air entendu et on est retournés vers les filles avec les mains dans les poches. Puis, comme tout le monde devait rentrer, on s'est séparés après un salut du menton. J'ai roulé vers la maison à toute vitesse.

Plein d'espoir.

* * *

Pour la première fois depuis quelques jours, j'ai entendu de l'agitation dans la maison en entrant. Je me suis dit que ma mère était sans doute venue chercher quelques affaires avec son amie Audrey. Mais quand je suis monté à la cuisine pour la saluer, c'est mon père que j'ai vu à côté d'elle. Ils se sont tous les deux retournés vers moi en souriant.

— Mme Ladouceur a téléphoné, a annoncé Nicolas, un sourire au coin des lèvres trouant d'un côté sa barbe de quatre jours.

— Ouin, merde… Désolé. Est-ce qu'elle a au moins dit que j'avais repris mon examen et que ç'avait bien été ?

— Elle a surtout demandé pardon pour ta professeure d'histoire, a rectifié ma mère. C'est elle qui a fait sa thèse sur mamie ?

— Oui, c'est elle.

— Eh bien, ta directrice a dit qu'elle allait lui parler. Que ça n'allait pas se reproduire. Que tu as bien agi.

— Et on s'est dit que ça valait bien un complet.

Je n'en croyais pas mes oreilles. Mes parents étaient là, sur la même longueur d'onde, comme s'ils ne s'étaient jamais chicanés de leur vie, tout sourire, à m'offrir le complet dont j'avais déjà fait le deuil.

— Wow, merci ! Euh… je sais pas quoi dire. Vous me traitez en héros ; c'est une cape que vous devriez m'acheter !

Nicolas et Odile ont éclaté de rire. Ça faisait du bien de les voir comme ça. Ça m'enlevait un poids énorme des épaules et j'ai presque eu envie de pleurer, mais non, je n'allais quand même pas verser une larme pour ça ! Ça devenait un peu trop émotif à mon goût.

— Euh… est-ce que ça vous dérange si je vais dans ma chambre, maintenant ? J'ai un appel à faire, c'est super-important.

— Quoi, tu dois appeler le ministre des Affaires étrangères pour discuter du sort des enfants au Darfour ? O.K., monsieur. On soupe dans une heure.

Je suis descendu au sous-sol, énergique et sûr de mon coup. Il fallait vraiment que je parle à Claire. Cette situation nébuleuse avait assez duré. Sa colère contre moi était aussi injuste que celle de Valérie contre Jonathan, pire même, parce qu'elle allait gâcher quelque chose d'important. Tout ce que je voulais, c'était qu'elle regagne confiance en moi. Je me sentais enfin capable de lui dire ce que je pensais, et j'étais certain d'arriver à me faire pardonner. Il le fallait. Je l'aimais trop pour la laisser me prendre pour un lâche et un délateur. Je l'aime trop, ai-je finalement formulé en saisissant le téléphone et en composant son numéro.

— Vic ! Hey, salut ! a répondu Julien après seulement une sonnerie.

Il avait dû rester à côté du téléphone pour être certain de ne pas manquer l'appel. Qu'il utilise le sans-fil faisait partie du plan, il ne devait pas laisser sa mère répondre et lui passer le téléphone normal de la cuisine. Julien parlait fort pour que tout le monde entende autour de lui.

— Attends une seconde. Maman? C'est Victor. Il a une question de maths à me poser. Je vais revenir t'aider dans quelques minutes, O.K.? Vic, inquiète-toi pas, tu vas voir, t'as juste à appliquer la formule…

J'ai entendu le bruit d'une porte qui se ferme à l'autre bout du fil.

— Je suis dans ma chambre. Claire est avec moi. On fait semblant que je l'aide à étudier, elle aussi. Je te la passe?

— Tu vas rester à côté?

— Pas le choix, man. Sinon, ma mère… Il faut que je reste pour faire le guet.

— J'ai compris. Mais bouche tes grandes oreilles, compris? Passe-la-moi.

Julien a chuchoté quelque chose à sa sœur et lui a tendu le téléphone. Ç'a pris une éternité avant qu'elle parle. Pendant ce temps-là, mon cœur battait super vite et fort, mais au moins, j'étais décidé.

— Allô?

— Claire, hey, ça va?

— Tu voulais me dire quelque chose?

Pas agressive, mais un brin ferme. Elle voulait diriger la conversation, elle ne me laisserait pas tourner autour du pot. C'était de bonne guerre. Je ne m'attendais pas à autre chose de sa part.

— Je voulais te dire quelque chose depuis plusieurs jours déjà, mais je savais pas trop quoi. C'est aujourd'hui que j'ai compris. Je veux te dire que je pense que j'ai changé et que c'est grâce à toi. Je veux te dire que je te prends pas pour une jeune écervelée. En fait, c'est le contraire : je t'admire. Ça me dérange pas que tu aies deux ans de moins que moi. C'est moi qui suis immature, des fois, parce que je sais pas où je m'en vais et que ça me fait faire des conneries. Mais quand j'ai menti pour qu'on sorte du magasin, c'était pas une connerie, c'était parce que je voulais pas que tu te fasses prendre à voler et que tu sois punie pour toujours. Parce que je t'aime et que je veux que tu viennes au bal avec moi... Veux-tu ?

Wow ! J'avais dit ça d'un seul souffle et c'est seulement en m'arrêtant que je me suis rendu compte que je l'avais fait. En reprenant ma respiration, j'ai attentivement écouté le silence que mon speech avait provoqué à l'autre bout du fil. J'aurais tellement aimé savoir si Claire grimaçait, souriait ou pleurait. Je savais que ce qu'elle allait répondre ne serait pas banal. Tout mon corps était tendu vers cette réponse.

— Je sais pas, Victor.

Juste ça. « Je sais pas, Victor. » Elle devait être salement troublée pour avoir perdu sa langue comme ça.

— Tu sais pas ? Est-ce que ça veut dire que peut-être que oui ?

— Ça veut dire que je sais pas. Éviter de se faire prendre, c'était une chose, mais me faire croire que la police était là et en faire un prétexte pour m'embrasser, c'était vraiment pas génial. Je sais plus si je peux te faire confiance.

C'est là que j'ai pris conscience que, sans le baiser, cette affaire serait restée bénigne. Ce n'était pas en lui mentant que j'avais brisé quelque chose, ni en la culpabilisant pour avoir voulu commettre un délit. C'était en forçant un baiser, quelque chose qui n'est rien s'il n'est pas réciproque.

— Je sais que c'était poche. J'ai pas réfléchi.

— Ça m'a fait avoir honte de moi. Je me suis sentie dégueulasse.

— Non! Merde! C'était pas ça! Écoute, est-ce qu'on peut oublier et repartir de zéro? Est-ce que t'inviter au bal peut effacer ça?

Claire a ravalé sa salive, je l'ai entendue distinctement. Évidemment, le coup de la ruelle, c'était dur à encaisser, je pouvais comprendre. J'espérais seulement qu'elle essaierait de me comprendre, elle aussi.

— C'est *tough*, Victor, de se sentir dégueulasse devant la personne qu'on aime.

J'aurais voulu qu'elle formule ça d'une autre manière. Cette phrase-là me faisait mal. C'était la phrase la plus déprimante que j'avais entendue de ma vie, et en même temps, c'était ainsi que Claire avait choisi de me faire savoir qu'elle partageait mes sentiments. Il en faudrait beaucoup pour faire en sorte que ce soient des sentiments heureux. Aimer de cette façon-là, c'était plus triste qu'autre chose. Et pendant un instant, j'ai eu envie de lui dire de laisser faire, que je ne voulais pas être celui qu'elle prendrait pour un lâche toute sa vie, que je ne voulais pas qu'elle m'aime de cet amour taché. Mais je me suis accroché au petit bout d'espoir qu'il y avait dans cette phrase pour enchaîner :

— J'aimerais faire quelque chose qui te ferait plaisir, Claire, et qui me rachèterait à tes yeux. J'aimerais que tu sois contente de m'aimer, si tu m'aimes vraiment. M'aimes-tu ? Je déteste tellement ce mot-là, si tu savais… Je suis pas bon pour le dire. En tout cas. Dis-moi ce que je dois faire et je vais le faire. N'importe quoi. Mais viens au bal avec moi, O.K. ? Ça va être la pire soirée de ma vie si t'es pas avec moi. Je vais être super-chic, tu vas voir. Mes parents vont m'acheter un complet.

— Je m'en fous, que tu sois chic, franchement. Et de toute façon, ma mère me laissera jamais y aller.

— Lui as-tu dit que tu étais chez moi ?

— Non, elle pense que j'étais chez Valia. Dans un tout petit appartement avec une famille de dix ! Elle est vraiment à côté de la plaque.

— Je suis sûr que tu peux trouver un moyen. Je vais lui parler, moi. Elle pense que je suis un bon garçon et elle va se laisser convaincre.

— Tu diras rien du tout à ma mère ! C'est pas d'elle que ça dépend, en fait. C'est moi qui sais pas. C'est moi qui vais prendre la décision. Ju, regarde ailleurs, veux-tu ?

J'attendais désespérément que Claire se fasse une idée, qu'elle propose quelque chose, qu'elle me demande un sacrifice qui me rachèterait. Si je m'attendais à ça…

— Victor, regarde ce qu'on va faire. Tu veux que j'aille au bal avec toi. Ça me fait plaisir que tu m'invites, même si je suis encore fâchée. Moi, je sais pas si je vais réussir à y aller. Alors voilà : tu vas laisser faire le complet, parce que ça me rappelle des souvenirs un peu plates. Tu vas y aller avec mes boxers que j'ai laissés chez toi. Comme ça, si je réussis pas à te rejoindre, je serai un peu là malgré tout. Et si les gens te posent des questions, tu pourras leur dire. Tu leur diras que c'est mon idée. Tu leur avoueras que tu aimes une fille de secondaire trois et qu'elle te mène par le bout du nez !

Au fond de la chambre, j'ai entendu Julien qui riait comme un fou et qui lançait des « Quoi ?! » et des « Vous capotez, *guys* ! ». En effet, c'était du délire. Aller au bal vêtu du pyjama d'une fille, ça frôlait la démence. Surtout si ce pyjama était en fait un sousvêtement. Et même si Claire avait exposé l'idée d'un ton sérieux et tout à fait normal, je me doutais bien qu'il y avait là une part de vengeance indéniable. J'avais le choix : trouver ça ridicule, refuser et perdre Claire pour toujours, ou accepter le défi, au risque de me retrouver tout seul au bal en boxers, mais gagner l'estime de celle que j'aimais. Autant dire que je n'avais pas le choix. Ça ne pourrait pas se résoudre autrement.

— D'accord, Claire. Si ça peut te faire plaisir, je vais le faire. Je vais porter tes boxers au bal. De toute façon, tout le monde en portait dans les années soixante. Et en plus, c'était la guerre au Vietnam. Alors le motif de camouflage va avoir rapport. Et puis pas de complet, pas de consommation inutile. Tu as peut-être eu une bonne idée, finalement. J'espère juste que tu vas être là pour voir ça.

J'étais plein de bonne volonté. Là, il aurait fallu que Claire confirme qu'elle allait tout faire pour m'accompagner, qu'elle était satisfaite de ma réponse, que je l'avais convaincue. Au lieu de ça, un déclic s'est fait entendre, puis une voix que j'avais appris à haïr a retenti :

— Julien, raccroche, là, on va souper.

Mouvement de panique, combiné rebondissant par terre, fracas et murmures ; j'étais aussi désemparé que les Prévost à quelques kilomètres de moi. Puis, j'ai entendu ce qui ressemblait à un faible « compris », suivi de :

— J'arrive, m'man ! Fa' que, Vic, j'espère que ça va aller. On se voit demain. Ciao.

— Euh... bye, Julien. Et *merci*, ai-je sincèrement ajouté.

Double clic, puis plus rien, un grand vide comblé par la tonalité « occupé » de Bell Canada, que je bénissais pour m'avoir permis de parler à la fille que j'aimais et que je maudissais pour ne pas avoir encore inventé la téléportation. Bon, retrouver mon souffle, prendre conscience de ce qui venait de se passer, analyser la conversation... Non, au lieu de ça – au lieu de faire la liste comparative des points positifs et négatifs de son discours, comme n'importe qui l'aurait fait en temps normal, et d'en tirer des conclusions éclairées –, mon premier réflexe, ç'a été de miser sur ce que j'avais. Peu de chose, à vrai dire, mais quand même, une promesse – c'était déjà ça. Dans ma tête, une promesse, c'est une réalité. Alors je suis allé dans le coin de ma chambre où j'avais laissé intacts les boxers de Claire, bien pliés à côté de ma guitare. Et j'ai enlevé mes jeans pour les essayer. Comme ils étaient trop grands pour elle, et moi trop maigre pour échapper à cette folie, j'ai été soulagé de voir qu'ils m'allaient comme un gant! Bien sûr, ça montrait beaucoup de mes jambes grêles – moi qui ne m'étais jamais soucié de musculation, je voyais où ça menait d'être un studieux «gratteux de guitare» – et ça nécessiterait la prudence de mettre un caleçon en dessous, mais ça allait, on ne pouvait pas dire le contraire. Des longues chaussettes, des bottes et une robe de chambre aideraient peut-être à rendre le tout un peu plus pudique mais, oh merde! j'allais quand même avoir l'air d'un énergumène. De toute façon.

Et si elle ne venait pas? Et si sa mère la cloîtrait pour de bon? Et si elle m'avait dit ça juste pour que je me ridiculise? Une vague de sueurs froides aurait pu déferler sur mon dos à ce moment-là, parce que je n'étais vraiment sûr de rien et que cette histoire, en plus d'être carrément clownesque, était assez angoissante. Mais devant le miroir à l'intérieur de ma porte de garde-robe, je me tenais droit comme un petit soldat et je ne me sentais pas ridicule du tout. Je me regardais comme si je ne m'étais jamais vu avant : j'étais plus que jamais décidé à gagner le cœur de quelqu'un, et ce quelqu'un me demandait de subir une épreuve folle que j'étais prêt à passer. Il ne fallait pas voir plus loin, ça échappait à toute analyse.

J'ai renfilé mes jeans par-dessus les boxers et je suis remonté à la cuisine. Mes parents, préparant le souper ensemble, se sont retournés à mon arrivée.

— P'pa, m'man, vous aurez pas besoin de m'acheter de complet. Je vais me débrouiller autrement. Merci quand même pour votre offre, mais il y a des choses plus importantes que ça dans la vie.

— Comme un souper de famille ? Es-tu libre ce soir ou t'as une rencontre au sommet ? a ironisé mon père.

— Si on parle ni de fric ni de cosmétiques, j'embarque.

HUIT

★ — Je sais tout, mon gars ! J'ai tout entendu !

Julien, fidèle à lui-même, excité comme une puce sur le dos d'un chat angora, se prenait pour Colombo alors qu'il avait eu des informations de première source toutes cuites dans le bec !

— Tu sais tout ? Comment ça se fait, donc ? Est-ce que ta sœur, juste à côté de toi, aurait tout dit à voix haute et ç'a fait que t'as pas manqué une syllabe ?

Ben tu sauras qu'il y a rien de drôle là-dedans, O.K. ?
Et même qu'en allant au bal en pyjama…

— … avec le pyjama de ma *petite sœur* !

— …et même qu'en allant au bal avec sur le dos
le pyjama de ta *petite sœur* – des fois je me demande
lequel de vous deux est le plus jeune, pour vrai –, je
vais être le finissant le plus original et le plus politi-
quement conscientisé de toute notre année.

Mon ami a levé un sourcil ironique (ce geste
devait être dans les gènes des Prévost) mais n'a pas
osé répliquer. Entre lui et moi, il y a certaines choses
sacrées. Si l'un de nous a un *kick* sur une fille, que ce
soit une inconnue ou la « p'tite sœur de l'autre », ça
ne se discute pas.

— D'ailleurs, si on joue au plus ridicule, t'es
pas hors compétition : y a la fille de tes rêves qui te
fait de l'œil – dis pas non, je l'ai bien vu pendant
que t'avais la face dans le bol de toilette ! – et toi,
tu vas te cacher dans un coin pour jouer sur ton
ordinateur !

D'un seul coup, j'avais réussi à changer de sujet
comme un pro. D'un seul coup, l'histoire de la petite
sœur qui fait faire des bêtises au meilleur ami, ce
n'était plus si important que ça, puisque j'avais
amené la fille de ses rêves dans la discussion et que,
même s'il n'admettrait jamais qu'il pensait lui aussi
qu'il avait une chance de l'avoir séduite, il s'imagi-
nait déjà fonder une famille avec elle. J'avoue que
ça me faisait plaisir de m'occuper un peu de ses histoires à lui ; pas juste parce que je voulais éviter de
lui donner des détails sur les miennes, mais parce

que depuis des années je le voyais s'intéresser à ses bébelles par dépit et que des choses comme ça lui arrivaient rarement. Il avait raison d'être excité. Lui qui avait toujours fait comme si l'amour, c'était fait pour des types comme François Janvier, mais pas pour lui.

— Justement, la face dans le bol de toilette! C'est sûrement pas l'attitude la plus sexy pour draguer!

— Tu te trompes. Je suis certain qu'il y a un tas de filles qui aiment ça, s'occuper d'un gars en situation de vulnérabilité.

Julien, assis sur le bord de mon lit, les coudes sur les genoux, a secoué la tête, comme si la pauvreté de mon argumentation suffisait à détruire tous ses espoirs.

— Non, non, je te jure! Les filles sont bonnes pour prendre soin des autres. Elles aiment ça. Béatrice, elle s'est pas inscrite en soins infirmiers? Booon, tu vois? Le verre d'eau, l'attitude calme, l'invitation à danser: ça ment pas… Et je te jure, je te *jure*, mon gars, qu'elle riait pas de toi. À la rigueur, elle se moquait un peu, c'est normal, mais surtout, elle *prenait soin de toi*. Je me sentais presque dans son chemin. Un peu plus et elle se mettait à te chanter des berceuses.

À cette perspective, Julien s'est laissé tomber sur le dos au milieu des couvertures. Pendant une minute, il n'a pas bougé d'un poil, perdu qu'il était dans son rêve de bonheur. J'en ai profité pour étirer mon bras et prendre ma guitare, sur laquelle je me suis mis à gratter une chanson douce. *Wonderwall*, d'Oasis, si je me souviens bien. Puis j'ai enchaîné avec *Bandit Queen*, une chanson qui rend hommage à une hors-la-loi et qui me faisait un peu penser à mon amour à moi, parce que ça disait : « Elle est ma reine des bandits, étendue sous la lune, et dans sa caverne de bandits, il y a de la place pour deux… », *et cætera*. C'était kitsch, mais bon, ça ne faisait de mal à persónne. La fin de la chanson, au moment où je me perdais en vocalises romantiques, a tiré Julien de sa léthargie.

— Tu penses vraiment, Vic ?

— Qu'est-ce que je pense ? Que tu devrais aller la voir, lui ouvrir ton cœur et l'inviter officiellement au bal parce qu'elle attend juste ça ? Oui, je le pense vraiment.

— Elle est fine, hein ?

— Ben oui qu'elle est fine.

— Elle est belle, hein ?

— Pis douce, pis intelligente, pis drôle. Arrange-toi donc un peu pour la mériter. *Look alive !*

— Comment ? En allant au bal en robe de chambre ?

— Très drôle, Prévost !

C'est seulement là que Julien s'est redressé. Au lieu de se voûter comme il en avait l'habitude, il est resté le dos bien droit, la tête bien haute, et a eu l'air de réfléchir sérieusement. En remuant les lèvres, en tambourinant des doigts sur ses cuisses et en levant les yeux au plafond, il a semblé méditer un plan jusqu'à ce qu'il s'exclame :

— J'ai trouvé! Je vais inclure ma déclaration d'amour dans la vidéo que j'ai préparée pour le bal!

Et il est parti d'un petit rire malin et stupide à la fois, tout en reprenant son inspection du plafond.

— Euh… c'est une bonne idée, mais… l'ai-je interrompu. D'abord, ça, c'est *au* bal. Si tu veux être accompagné, il faut lui parler *avant*, et ça, ça te laisse pas beaucoup de temps. Deuxièmement, c'est peut-être charmant, comme idée, mais c'est un peu maniaque aussi. Tu penses pas que ça pourrait lui faire peur?

Julien m'a soudain lancé un regard éberlué qu'aucun battement de cils n'est venu bloquer. Il tombait des nues.

— Quoi?! Lui faire peur? Pourquoi? C'est ma meilleure idée à vie! En plus, a-t-il ajouté d'un ton plus dépité, c'est la seule chose que je sais faire…

Sa longue frange toute raide lui est retombée devant les yeux et sa poitrine s'est comprimée au point que j'ai vu bâiller le col de son t-shirt.

— Pas vrai, Julien. C'que j'veux dire, c'est que si Béatrice s'attend à quelque chose de ta part, elle s'y attend *maintenant*. Si jamais, sur un coup de tête, à la dernière minute, elle décide d'inviter quelqu'un d'autre parce que tu l'as pas fait à temps, ça va être que dalle, ta déclaration.

— «Que dalle»… Toi pis tes expressions françaises! Eh, d'ailleurs, elle est revenue, ta française de mère?

Oui, elle était revenue, mon père aussi, mais leurs retrouvailles n'étaient pas des plus flamboyantes.

Depuis la veille, je les entendais à peine. En montant pour aller manger, ou juste pour sortir de ma « caverne » de temps en temps, je les trouvais assis chacun à un bout du sofa, les jambes repliées sous eux, à discuter sans sourire. Sans pleurer non plus, vous me direz, mais bon, ce n'était pas assez pour se réjouir ou pour sauter aux conclusions. Alors j'ai préféré ne pas m'étendre sur ce sujet.

— Quand je serai sûr qu'elle va mieux, je lui demanderai de te cuisiner des muffins. Ce sera ton cadeau pour la remise de ton diplôme, lui ai-je promis. Hey, Julien, faut vraiment que j'étudie, là. Mais je voulais te dire… Je sais que j'ai pas vraiment de leçons de *cruise* à donner — ce que ta sœur confirmerait si tu lui en parlais —, mais je pense qu'il faut que tu fasses le *move*, pour Béatrice. Dans moins d'une semaine, c'est fini, le secondaire. Tu risques de la perdre de vue pour toujours. Rate pas ta chance.

Julien, pas meilleur dans les affaires de gars que dans les affaires de filles, a voulu me donner un amical coup de poing sur l'épaule, mais il a manqué son coup et s'est tordu un doigt. En secouant le poignet et en grimaçant, il s'est levé et a empoigné son sac, dans lequel il a remis cellulaire et iPod, objets dont il n'avait pas eu besoin, mais qu'il avait étalés sur mon lit pour se sentir bien entouré, ou juste par réflexe. Julien ne se séparait de ces appareils sous aucun prétexte.

— T'as son numéro ?

Julien a ajusté son sac sur son épaule et m'a jeté un regard par-dessous.

— Fais pas l'innocent, Bacquias.

— Hey ! Surveille ton langage, monsieur ! Je fais pas l'innocent.

Là, il s'est vraiment figé, et un sourire s'est lentement élargi sur son visage à mesure que ses yeux s'écarquillaient.

— Quoi ? Man…

— Ben, c'est juste que, samedi dernier, quand je me suis levé et que j'ai moi-même mis mes affaires au lavage (pour que ma mère sente pas l'odeur de robine imprégnée dessus), j'ai trouvé ça.

Il a fouillé dans la poche arrière de ses Levi's et en a sorti un minuscule bout de papier. C'était une étiquette de bière, qu'il a eu du mal à déplier tellement il était fébrile. Dessus, d'une écriture toute en rondeurs et en froufrous qui n'aurait absolument pas pu être la mienne, était écrit « Béatrice » avec un numéro de téléphone.

— Moi qui pensais que c'était toi qui me faisais une joke…

— Comment tu veux qu'un gars fasse les points des *i* en forme d'étoile ?! Pourquoi tu me l'as pas demandé ?

— Ben, vu tes affaires avec Claire…

— Et la pauvre Béatrice qui pense que tu refuses de l'appeler depuis samedi ! Prends ton téléphone tout de suite, Julien Prévost !

J'ai retiré le sac du dos de mon ami et l'ai lancé sur le lit en moins d'une seconde. Puis, voyant qu'il ne bougeait pas, j'ai repris le sac et trouvé le cellulaire, que je lui ai aussitôt tendu.

— Tout de suite, j'ai dit !

* * *

Si j'avais eu la décence de me cacher pour ne pas entendre, ou si Julien avait eu la présence d'esprit nécessaire pour ouvrir la porte et aller parler dehors, ç'aurait été dramatique, parce que je n'aurais pas pu rapporter cette délicieuse conversation !

Comme mon ami restait à côté de moi, et comme l'idée de monter à là cuisine ne m'est étrangement pas venue, j'ai repris ma guitare et j'ai offert à Julien une musique d'ambiance durant cet appel crucial. Je ne l'avais jamais vu aussi nerveux, et Dieu sait que la nervosité, ça le connaît. Il tremblait tellement que je le voyais flou ! Mais devant ce spectacle, ce que je pensais et qui ne me sortait pas de la tête, c'était que j'allais peut-être revoir Claire dans quelques jours et que ce serait à mon tour d'être dans tous mes états. Quand je souriais en regardant Julien faire les cent pas, avec son cellulaire collé sur l'oreille comme si sa vie en dépendait, je souriais parce que, dans ma tête, une scène similaire se jouait : Claire, miraculeusement libre de téléphoner à qui elle voulait et de se déplacer où bon lui semblait, appelait de la cabine téléphonique du coin de la rue, courait jusque chez moi aussitôt qu'elle entendait ma voix au bout du fil, me sautait dans les bras et me disait qu'elle m'aimait plus que tout et qu'elle ne mettrait des barricades entre nous que pour mieux les défoncer et venir au bal à mon bras. Mais ce mirage est devenu flou lui aussi quand Julien a finalement composé le numéro et que Béatrice a répondu (j'entendais sa voix aiguë et enjouée par le téléphone, même à quelques mètres de distance, mais je ne pouvais pas distinctement comprendre ce qu'elle disait).

— Béa! Trice! Béatrice, je veux dire! C'est Julien!

Il y avait des points d'exclamation après chaque mot qu'il prononçait. Cher Julien!

— ... Oui, j'ai dessoûlé. Ha ha! J'étais soûl, hein? (...) Ris pas (...) Ris pas, Béa! (...) Ouais, peut-être que t'as raison. Ça va, toi? (...) Oui oui, disons que je travaille fort, ha ha! Je veux dire, les examens, les projections du bal... (...) Ah? Ouais, j'ai hâte... Toi? (...) Ouais, c'est sûr tout le monde a hâte. Tu vas t'habiller comment, toi? (...) Non, non, c'est pas pour ça que je t'appelle...

Wow! Béatrice allait droit au but et ça devenait intéressant. J'ai commencé à pincer les cordes avec un peu moins de vigueur.

— Pourquoi? Ben... C'est parce que j'ai trouvé ton numéro dans ma poche de jeans. (...) Je te jure, dans ma poche! (...) Je sais pas, mais il y avait une étoile à la place du point sur le *i*. (...) Oui, je peux te le prouver, parce que j'ai gardé le papier précieusement depuis samedi. (...) Oh, parce que j'étais pas sûr si c'était une joke ou... Pis il fallait que j'étudie. Mais là, j'ai presque fini les examens. Mon horaire était nul, j'en ai eu trois par jour depuis lundi. (...) Ouais, y était *tough*, lui! (...) Ah, oui, pourquoi je t'appelle. Ben... je me disais que... ben...

Hésiter comme ça ne lui donnait rien. Béatrice devait le voir venir à cent kilomètres à l'heure. Si elle n'avait pas encore raccroché, c'était que l'affaire était dans le sac. Mais Julien, aveugle, forcément, ne s'en rendait pas compte.

— Il va falloir que j'arrive au bal un peu avant tout le monde pour installer mon équipement vidéo. Mais quand ce sera fait, je pourrai ressortir et faire mon entrée officielle comme les autres, par la grande porte, et tout et tout… Voudrais-tu… Je veux dire, ce serait poche d'être tout seul et… Voudrais-tu venir avec moi au bal ?

Silence radio. Comme si Julien se rendait compte de ma présence pour la première fois, il s'est tourné vers moi et a fait une grimace d'angoisse en se mordant les jointures d'une main et en croisant les doigts de l'autre sur le téléphone. Un clignement d'œil était tout ce que je pouvais lui répondre, occupé que j'étais à gratter les cordes de ma guitare. Mais mon air rassuré a magiquement déteint sur lui et il s'est raidi, confiant, en écoutant la réponse, que je pouvais deviner par les voyelles qui traversaient l'air jusqu'à moi.

— Oui ? Tu veux ? Trop cool ! J'suis vraiment, *vraiment* content. (…) Comment je vais m'habiller ? Merde, j'ai pas vraiment pensé à ça… Toi ? (…) Wow ! Tu vas être super-belle ! O.K. d'abord, je vais essayer de trouver quelque chose pour aller avec. (…) Demain ? J'sais pas… (…) Au parc ? O.K., ben oui. (…) Non, non, c'est pas trop vite. Faut ben qu'on s'voie un peu avant que je devienne ton cavalier, pour que tu t'habitues. (…) Ha ha, non, je changerai pas d'idée ! O.K., bye… bye. (…) Oui, à demain… bye !

Il a refermé le téléphone d'un claquement vif et a sauté sur place comme un fou.

— Yééééé! T'as vu ça, man? Elle a dit oui!

— J'ai vu ça, Julien, ai-je répondu d'un ton que je voulais apaisant.

J'ai déposé ma guitare et me suis levé pour le féliciter. Une tape sur l'épaule pendant que, dans son dos, je reprenais son sac et le lui plantais entre les mains.

— Bravo, mon gars. Maintenant, laisse-moi arranger mes affaires à moi. Et si tu croises ta sœur ce soir, dis-lui que je vais l'attendre. Dis-lui de pas me niaiser… Oh, pis non, laisse faire. Dis-lui rien. On verra bien…

— Courage, Vic. Tu vas voir, elle va venir.

— Elle te l'a dit?

— Euh… non. Elle veut rien me dire. Tu l'sais, on se garde dans l'ignorance pour pas faire foirer les plans de l'autre. Mais elle va venir.

Julien est sorti par la porte patio, qu'il a laissée grande ouverte, et a volé jusque chez lui.

TROISIÈME PARTIE ★ LE BAL

★ Une vraie fille ! Non mais ! C'était ridicule ! Vous auriez donné beaucoup pour me voir comme ça. Devant mon miroir, vendredi soir, veille du bal des finissants de l'école secondaire Cœur-Vaillant, j'avais passé plus d'une heure à essayer différentes tenues qui impliquaient toutes les fameux boxers à motif de camouflage, et ce n'était pas fini. En une heure, je n'avais rien trouvé qui rende le pyjama socialement acceptable dans un contexte d'événement mondain, rien non plus qui avantage ma silhouette frêle et qui me donne au moins un semblant de dignité. Non. J'avais l'air d'un cave, de toutes les manières possibles et impossibles, et demain, devant mes amis et mes collègues de classe des cinq dernières années, j'aurais encore l'air d'un cave. Étais-je fier de ce que je me préparais à faire ? Non, pas vraiment. Pour être honnête, j'aurais souhaité que ça se passe autrement. Mais en même temps, je n'avais jamais été porté sur les froufrous et les habits assortis. Si jamais Claire venait, on n'aurait pas l'air d'un petit couple sur une photo de chez Sears. *Si jamais Claire venait…*

Ah ! La chemise verte, je l'avais pas encore essayée. Ouais, bon, pour une version anémique de Hulk, ça irait, mais quand même, je ne m'abaisserais pas jusque-là. Finalement, le plus naturel, depuis le début, c'était la camisole blanche à moitié transparente qui me servait *vraiment* de pyjama.

Mais ça manquait lamentablement de classe, il n'y avait pas à dire. Si Mme Ladouceur me voyait attriqué comme ça, j'en étais quitte pour chuter dans son estime à jamais. Je n'ai pas renoncé à un complet pour me retrouver comme ça, en guenilles parmi les princes et les princesses, que j'ai pensé sans me convaincre.

Oui. C'est exactement ce que j'ai fait.

— Victoooor! Téléphoooone!

Je n'avais même pas entendu la sonnerie. La chemise pendante sur mon bras gauche, j'ai pris le téléphone sur ma table de chevet et j'ai répondu d'un ton exaspéré :

— Julien Prévost, si t'appelles encore pour venir aux nouvelles, eh ben, pas de nouvelle. C'est toujours aussi laid! Tu peux dire ça à ta folle de sœur!

— Ah bon? La sœur de Julien est folle en plus d'être rebelle?

C'était une voix de fille, et comme j'avais désespérément attendu un appel de Claire toute la semaine, j'ai frémi en pensant que ça pouvait être elle. Et là, je me serais calé. Mais, fiou :

— C'est Béatrice. J'espère que je te dérange pas.

— Oh, non, non, ai-je répondu. J'ai même besoin d'une pause, là. Qu'est-ce que je peux faire pour toi?

J'ai imaginé que, pendant le silence qui a suivi, Béatrice a fait un petit sourire en coin et a baissé le menton vers sa poitrine. Je n'avais aucun moyen de le savoir, mais je commençais à connaître cette façon qu'elle avait de laisser entendre qu'elle était gênée.

— Ah! là, là. Ça va avoir l'air con… Je t'appelle à propos de Julien, tu devais t'en douter…

— Un peu…

— Ben, hi hi, c'est *vraiment* con… C'est juste que, ben comme ça fait pas longtemps qu'on so… qu'il m'a invitée au bal, je pensais qu'on se verrait tout le temps. Mais il est genre distant, on dirait. Il dit qu'il peut pas sortir de chez lui. Je trouvais ça un peu louche et je voulais savoir s'il t'avait parlé de quelque chose.

Pauvre Béatrice! Elle s'était sans doute butée au peu crédible mais bien réel « J'ai trouvé une nouvelle fonction dans *Final Cut* et il faut vraiment que j'arrange une séquence de ma vidéo », ou quelque chose d'aussi absurde. Elle finirait bien par s'habituer. J'espérais qu'elle s'accrocherait.

— Ah, ça, c'est du Julien tout craché. C'est même tout sauf louche. Béa, si tu veux mon avis, Julien Prévost est un *geek* fini et, nécessairement, c'est toi qui va payer pour. Mais je te rassure, s'il m'a parlé de quelque chose en deux jours, c'est de combien il est content que tu ailles au bal avec lui.

Cette fois, son petit rire de souris s'est fait moins étouffé.

— C'est beau, d'abord, je me suis inquiétée pour rien. Désolée. Ça faisait vraiment secondaire un de t'appeler. Ben… On se voit demain?

— Oui. On se voit demain. Bye.

On se voit demain, donc *tu* me vois demain, malheureusement, ai-je pensé dire à Béatrice qui venait de raccrocher. Habillé comme un épouvantail. La belle réputation que je vais faire à mon meilleur ami, moi !

Bon, la camisole blanche ? La chemise verte ? Le vieux veston en velours rafistolé aux coudes ? Pourquoi ne pas appeler Claire et lui demander son avis ? La tentation était forte. Claire, ma belle Claire, aurait sûrement une bonne idée pour rendre le défi flamboyant, pertinent, éclatant, magnifique… Claire m'insufflerait sûrement l'énergie qu'il faudrait pour faire de cette situation un événement magique. En ce moment, avec ma chemise qui me pendait sur les poignets, mon look n'avait rien de magique, je vous jure !

Cependant, je n'ai pas eu le choix de me rendre compte que faire appel à Claire dans ces circonstances, ç'aurait été gâcher toutes mes chances de gagner son cœur. S'il y avait quelque chose à tirer de notre dernière conversation, c'était bien ça. Je devais lui prouver que j'étais capable de relever un défi par moi-même, sans savoir si j'allais pouvoir atteindre la carotte au bout du bâton et croquer dedans. Claire se donnait le droit de décider que je ne la méritais pas. Que je lui avais menti, que je lui avais mal ou pas assez montré l'affection que j'éprouvais pour elle. Claire avait le droit de vie ou de mort sur notre relation et je me demandais si, à plus large échelle, toutes les filles ne détenaient pas ce droit sur les gars. Juste une idée comme ça…

En tout cas, mon envie d'appeler Claire m'a passé et je suis retourné devant mon miroir.

— Victoooor? Tu viens voir un fiiiilm? a crié ma mère du haut de l'escalier.

Mon refus du complet l'avait émue. Elle voulait qu'on passe ensemble du « temps de qualité », comme les psychologues disent ; elle apprendrait à mieux me connaître et peut-être à percer ma carapace d'adolescent asocial.

— Noooon! Je vais me coucher! Demain, faut que j'me lève tôôôôt!

* * *

Se coucher tôt! Tu parles! À une heure du matin, ma chambre était un champ de bataille, ma chevelure était un champ de bataille, c'était l'hécatombe. Tous mes vêtements (je porte toujours les cinq mêmes morceaux, mais j'ai appris à ne pas jeter inconsidérément : ma garde-robe est donc pleine) jonchaient le sol à un point tel que le beau tapis de ma grand-mère était complètement recouvert, en plus de mon lit, lequel avec mon bordel gagnait au moins trente centimètres d'épaisseur. Parmi tout ça, les livres scolaires que je n'avais pas pris le temps de refermer après cette session d'examens disons « éprouvante » – la plus angoissante de toute ma vie, honnêtement, d'autant plus que mon admission au cégep en dépendait. Et par-ci, par-là, des coins de feuilles qui dépassaient, des partitions que j'avais ressorties pour jouer quelques vieilles chansons grunge que mes looks ou mon découragement m'inspiraient.

Les boxers étaient devenus une seconde peau, et en entendant les grillons dehors, j'ai eu envie de les mettre pour dormir. Mais je les ai plutôt repliés et rangés dans ma commode, afin de les garder bien propres pour le lendemain. Peu importe ma tenue pour la nuit, j'allais dormir, je m'en faisais la promesse. D'un grand geste du bras, j'ai balayé le matelas pour tout entasser le long du mur. Je me suis couché, dos à toute cette pagaille comme si cette barrière de tissu allait me protéger de quelque chose. Aussitôt, j'ai sombré dans un profond sommeil. Étrangement, je ne me rappelle plus mes rêves.

* * *

C'était une superbe journée, le soleil plombait, il devait être près de midi. Les oiseaux chantaient, ça sentait bon l'herbe et… les crêpes !

Ça, c'était bon signe. Ma mère, quand elle était déprimée, cessait de prendre soin d'elle (et donc de moi, par le fait même) et cuisinait moins. Si elle s'adonnait à un brunch du samedi, c'était qu'elle reprenait des forces et retrouvait sa bonne humeur. J'ai enfilé les premiers jeans que j'ai trouvés en tendant le bras, le premier t-shirt qui traînait à côté, et je suis monté à la cuisine en suivant l'odeur de vanille et de sirop. J'ai trouvé ma mère occupée à fouetter le mélange, mon père à lire tout haut des passages du *Devoir* du week-end, accompagné par la musique de Radiohead en sourdine. Une belle scène, franchement. J'aurais eu envie de demander si la querelle entre eux était bel et bien terminée, si on reprenait déjà une vie familiale normale et heureuse, mais c'était peut-être encore trop tôt. Il fallait laisser son temps au temps. Peut-être que parler briserait l'équilibre encore fragile qui semblait se rétablir entre mes parents.

— « Un laboratoire pharmaceutique français sous enquête ; l'un des actionnaires responsable d'une firme de contrôle de qualité est en conflit d'intérêt… » T'entends ça, Dido ? Faudrait peut-être que tu vérifies tes petits pots de crème, d'un coup que…

En se tournant pour répliquer, Odile a remarqué ma présence.

— Victor ! Dis donc ! C'est rare que tu te lèves si tard ! T'as de la chance, on t'a attendu pour les crêpes. Assieds-toi donc, mon beau finissant d'amour ! m'a accueilli ma mère avec sa sempiternelle imitation de l'accent québécois.

Tout miel, tout sourire pour une deuxième journée, elle a déposé devant moi une assiette fumante remplie de crêpes. Puis elle est retournée à ses poêlons en se dandinant. Mon père, les jambes croisées sous la table, a levé les yeux par-dessus la monture d'écaille de ses grosses lunettes de fin de semaine et a lorgné mon assiette. Il a bientôt été servi (sans un « Tiens, chéri d'amour », mais quand même) et on a tous mangé dans un silence qui n'était plus de plomb, enfin.

C'est le nez dans son assiette et la bouche pleine que Nicolas a demandé :

— Tu y vas avec qui, à ton bal ?

— Euh…

Ma mère, croyant venir à ma rescousse, m'a empêtré davantage :

— C'est parce que, la semaine dernière, quel-
quefois, on a entendu une voix de fille dans le sous-
sol. T'as pas souvent la visite de filles, d'habitude, et
on s'est demandé si c'était pas la future cavalière,
par hasard, que tu nous cachais. T'inquiète pas, on
n'a rien entendu de précis, juste une voix...

Odile a eu droit au regard par-dessus les
lunettes à son tour.

— Oh, c'est Julien qui a une nouvelle blonde. Ils
sont venus une ou deux fois. Moi, j'aime mieux y
aller tout seul. C'est plus facile de se promener et
d'aller parler à tout le monde si on n'a pas à s'occuper d'une seule fille.

— Oooh là ! T'entends ça, Nico ? Il veut butiner,
notre fils !

Dégoûté de faire les frais de leur complicité
renouvelée, j'ai pris le parti d'engloutir mes crêpes
sans répliquer.

— Tu devrais être contente, Dido. T'es pas prête
à laisser ton fils entre les mains d'une autre, et tu le
sais bien. Eh, en passant, qu'est-ce que t'as trouvé
comme plan de rechange pour ton complet ?

DIX

★ Je ne l'avais évidemment pas demandé, mais
mes parents ont exigé une présentation officielle
de mon look de finissant. J'ai négocié pour qu'ils

ne prennent pas de photos et qu'ils ne posent pas de questions. Tout excités, oubliant leurs soucis de couple, d'argent, de vieillesse, retrouvant une joie quasi enfantine, ils ont tapé des mains en chœur et se sont plantés droits comme des piquets dans le salon en attendant que j'aille me changer.

— O.K. Mais vous allez pas aimer ça.

Je me suis sauvé dans ma chambre et je me suis habillé (déshabillé) en prenant bien mon temps. Malheureusement, ma lenteur a attisé le suspense. Confiant que j'allais faire effet, j'ai gravi les marches comme si elles étaient couvertes de tessons de verre. J'ai traversé la cuisine comme si elle était infestée de serpents venimeux et je suis entré dans le salon comme si je passais les portes de l'enfer.

Je m'attendais à une mine de catastrophe ou à un grand éclat de rire, qui n'est pas venu. C'était louche.

— Oui ? a fait Odile comme si elle répondait au téléphone.

— Ben… C'est ça.

— Oh, Vic, t'avais promis ! Va te changer, on t'attend.

C'est bien ce que je pensais ! Ils ne pouvaient pas réagir si faiblement sans penser que je ne leur montrais pas ce qu'ils voulaient voir.

— T'as pas compris, maman. C'est ça, mon habit de bal.

— Quoi ?! Et d'où ils viennent, ces shorts ? Je les ai jamais vus dans la lessive, moi.

— Je les ai empruntés.

Là, l'éclat de rire que j'attendais a retenti. Un grand éclat de rire irrépressible qui donnait très bien la mesure de l'absurdité de la situation. Moi, debout devant eux, j'avais une bonne idée de ce qui allait se produire dans… moins de deux heures !

— Mon fils, je suis désolé, mais tu nous avais pas préparés à ça ! a lancé mon père. Tu voulais des boxers d'armée à un point tel que tu les as empruntés à quelqu'un, si je comprends bien. Ha ! ha ! ha ! Tu sais qu'on avait les moyens de t'en offrir, quand même.

— Oh ! Je l'savais que vous alliez me niaiser ! Quand j'ai dit « pas de questions », ça voulait aussi dire « pas de questions indirectes ». Je vous dirai pas pourquoi je porte des boxers, pourquoi je porte *ces boxers-là*, ni pourquoi j'ai renoncé au complet cravate, un point c'est tout.

Le rire de ma mère s'est calmé (c'est-à-dire qu'il s'est faiblement estompé) et elle a enfin émis son opinion :

— En tout cas, moi qui voulais que tu portes quelque chose qui soit pas conformiste, je suis servie ! Je suis servie ! Aaaah !

Et elle s'est remise à rire de plus belle.

— O.K., c'est assez, les parents. J'ai dit à Julien que j'allais le chercher chez lui. On va au bal ensemble.

— Et il va être habillé comment, lui ? a demandé Nicolas, les larmes aux yeux. Il va être déguisé en Spiderman ?

— Allez, file ! Bye, Victor ! Bon bal ! Et fête tard ! Profites-en ! T'auras pas toujours dix-sept ans !

Là-dessus, mes parents ont pincé les lèvres et se sont regardés avec une profonde nostalgie dans les yeux. J'ai attrapé mon sac qui pendait au bras du fauteuil et j'ai filé en envoyant un salut de la main.

* * *

En sonnant à la porte de chez Julien, j'avais deux souhaits. Le premier, c'était que ce ne soit pas sa mère qui m'ouvre. Mon accoutrement n'était pas idéal pour me faire apprécier d'une éventuelle belle-mère ; j'espérais plutôt conserver auprès d'elle ma réputation de bon garçon tranquille et discret. Mon second souhait, c'était que Claire soit là et voie que j'avais suivi ses instructions. Ça la convaincrait peut-être de faire des efforts pour échapper à sa prison et me rejoindre à l'école. Un moment qui m'a semblé interminable a passé avant que je puisse réaliser le premier de mes souhaits, moment durant lequel j'ai compulsivement ajusté mon sac pour parvenir à cacher une partie de mon short, probablement sans succès. Julien, vêtu d'un costume bariolé à la Beatles – plus *lonely heart* pour longtemps –, a fini par ouvrir la porte et a avancé le cou vers moi.

— Victor ! Tu l'as fait ! a-t-il crié le plus fort qu'il pouvait.

Puis, il a cligné des yeux, m'indiquant ainsi que ça faisait partie d'un plan. Claire avait-elle entendu ? Mme Prévost, oui, en tout cas.

— Quoi ? Qu'est-ce qu'il a fait, notre cher Victor ?

Rejoignant son fils dans le cadre de la porte et se penchant au-dehors par-dessus son épaule, ma de-moins-en-moins-future-belle-mère a écarquillé les yeux et a laissé tomber sa mâchoire lourdement. En une seconde, j'ai compris combien mon allure était indécente. Pas juste drôle et ridicule, comme mes parents me l'avaient fait savoir : carrément indécente. La mère de Julien a fixé avec un air scandalisé la vaste partie de mes jambes que les boxers laissaient nue.

— C'est une blague, rassure-moi, a-t-elle supplié sans oser me regarder dans les yeux.

— Un pari, disons.

— Bouge pas, je reviens, a ordonné Julien en se précipitant à l'intérieur de la maison.

Sa mère, dépassée, a laissé la porte grande ouverte et est retournée d'un pas incertain à ses affaires. Son attitude ne m'invitait certainement pas à entrer, alors je suis resté là, sur le perron, espérant toujours pouvoir réaliser mon second souhait.

Julien est revenu en courant avec un objet à la main. *Clic.* Sans que j'aie pu m'en rendre compte, mon ami — un kid-kodak de première — venait d'immortaliser ce moment.

— Je vais me venger, Prévost ! Je vais me venger grave !

— Oui, oui, je suis prêt à ça. Ça valait la peine. Hey, j'ai oublié quelque chose dans ma chambre.

Et il est reparti en courant, montant l'escalier à toute vitesse. Il est revenu une minute plus tard, un sourire aux lèvres, un sac sur l'épaule, l'appareil photo toujours à la main.

— En temps et lieu, tu comprendras que c'est la gratitude, et non la vengeance, qu'il faudra pratiquer, mon gars. Allez, on y va ! Béa nous attend au parc.

* * *

Béatrice a dû nous voir arriver de loin : Sgt. Pepper (Julien) et G. I. Joe en pyjama (moi), ça devait faire une belle paire d'hurluberlus. Elle, ses longs cheveux noirs un peu crépus tombant symétriquement de chaque côté et couvrant ses épaules, coiffée d'un chapeau noir à large bord, arborant une paire de lunettes fumées rondes et vêtue d'une longue tunique blanche, était la Yoko Ono du groupe. Elle nous attendait debout sous un arbre, souriante, comme d'habitude. Ç'a été la seule personne qui n'a pas ri en me voyant.

— Salut, vous deux ! a-t-elle lancé en faisant un signe de *peace*.

Julien a accéléré le pas pour la rejoindre et lui a donné un timide bec pointu sur le bout des lèvres. Ç'a fait rigoler Béatrice, qui a rougi un peu.

— Hey ! T'as pas ton ordi ?

— Il est déjà là-bas, j'ai tout installé. Vous allez voir, le décor est écœurant !

Puis on s'est mis en route vers l'école, qui était à quelques mètres, au coin de la rue. En traversant le parc, on a croisé Mireille et Jonathan qui se balançaient joyeusement, levant les pieds au ciel. Quand il m'a vu, Jonathan a sauté de la balançoire et a couru vers moi. Reprenant son souffle, il m'a cérémonieusement tendu la main :

— Victor Bacquias, mon sauveur!

— Relaxe, Jo, j'ai rien fait d'exceptionnel!

— Il fallait bien que je te remercie officiellement, quand même, a-t-il fait en continuant de serrer ma main vigoureusement, un large et sincère sourire aux lèvres. En tout cas, ton habit, il est exceptionnel!

J'avais entre-temps préparé une réponse:

— C'est pour commémorer la guerre du Vietnam.

En effet, le reste d'habit que j'avais trouvé pour accompagner les boxers suivait la piste militaire. Camisole blanche style «papi italien dans ses plans de tomate», chemise déboutonnée en toile kaki avec cent cinquante poches et ganses, bottes à cap d'acier qui avaient appartenu à mon père dans les années quatre-vingt, béret à liséré de cuir, lunettes fumées Ray-Ban. J'avais même évité de raser les quelques poils qui me poussaient un peu partout sur les joues et le menton pour donner au tout un semblant de virilité. Et puis, je n'étais pas encore prêt à dire que j'avais fait ça pour une fille. J'avais donc préparé une réplique sixties qui me ferait passer pour un fan des événements thématiques.

— Oh! Parle-moi pas d'histoire! a répliqué Jonathan. Je suis sûr que j'ai coulé mon examen.

À ces mots, Mireille, qui nous avait rejoints, lui a passé un bras autour des épaules et l'a serré contre elle.

— Vous venez? a proposé Béatrice.

Au regard lancé par Jonathan à sa blonde, j'ai compris qu'ils préféraient rester seuls. Mireille lui a fait un clin d'œil entendu lorsqu'il a sorti de la poche de son veston ce qui ressemblait à un joint.

— On pourrait partager, a-t-elle suggéré.

Mais Julien, cette fois, n'allait pas se laisser tenter.

— Ma vidéo est déjà assez psychédélique comme ça. J'ai pas besoin d'en remettre. J'ai l'intention de me rappeler l'ordre des touches sur mon clavier. Je vais passer mon tour.

On s'est séparés du couple et, une minute plus tard, on faisait notre entrée au bal des finissants.

C'est Julien qui a poussé la grande porte et qui a fait entrer Béatrice dans l'agora. Moi, je suivais derrière, content de ne pas avoir eu à faire ça tout seul. On avait tous le cœur serré par l'excitation, c'était palpable. Quand on a vu le décor, le sentiment qu'on vivait quelque chose d'unique a été encore plus fort. C'était majestueux. Des couleurs, des lumières, des statues géantes et une impressionnante fontaine occupaient la salle, dans laquelle on avait aussi monté des dizaines de tables rondes où brillaient des couverts et des coupes qui reflétaient les éclairages multicolores. Béatrice s'est exclamée d'admiration et Julien l'a regardée d'une façon qui signifiait : « Je te l'avais bien dit. » Et ils se sont avancés, main dans la main, vers la table de V.J. qu'il avait installée près de l'entrée, face à la scène. Dans ce décor, Béatrice et Julien étaient vraiment beaux à voir. Je n'ai pas pu réprimer une pointe de jalousie en les voyant s'éloigner de moi.

J'étais soudain seul devant la porte, seul avec mes boxers et mes espoirs, presque littéralement nu sous les projecteurs, et je n'aimais pas ça ! Incapable de me décider à bouger, incertain de la procédure à suivre, je suis resté figé en attendant que quelque chose m'invite à prendre part à la fête, qui n'avait en fait pas encore commencé. Le prof d'arts plastiques courait d'un côté à l'autre de la salle en donnant des ordres à ses disciples et en ajustant des détails du décor. À droite, à la longue table où on servait le vin d'honneur (sûrement un cocktail dans lequel il y avait une large proportion de jus de fruits), quelques profs discutaient et rectifiaient l'alignement des dizaines de flûtes à champagne. Mme Éva Ladouceur s'est détachée du groupe et s'est avancée vers moi. Elle portait un chic tailleur fuchsia à la Jackie Kennedy, avec de courts gants blancs. En arrivant devant moi, au lieu de me présenter sa main gantée, elle a posé les poings sur ses hanches et s'est écriée :

— Victor Bacquias ! J'ignore le sens de cet accoutrement, mais je suis persuadée que ça doit servir une cause !

— Oui, madame. C'est pour commémorer la guerre du Vietnam ! ai-je récité pour la deuxième fois, et pas pour la dernière.

Alors, la directrice de l'école secondaire Cœur-Vaillant a claqué des talons et a fait de sa main gantée, raide comme une flèche, un salut militaire.

Elle n'a pas bougé d'un poil jusqu'à ce que j'aie la présence d'esprit de dire :

— Repos !

Et on a ri un peu, pas assez pour pousser trop loin la camaraderie. À ce rire, Valérie Béjar et Sam Lawhead ont tourné la tête vers nous.

— *Dear God, Vic ! Were you sleepwalking when you purchased that outfit ?*

Entendez : « Étais-tu somnambule quand tu as acheté cet habit ? »

— Je commémore la guerre du Vietnam !

Combien de fois allais-je devoir répéter cette ridicule excuse ?

— Tiens, tiens, monsieur Bacquias a pris goût aux nobles causes, à ce que je vois !

— Oui, mais ça n'a rien à voir avec votre cours, madame Béjar.

— Victor, tu n'as que trois pas à faire pour te retrouver dans la fête. Pourquoi tu restes ici ? m'a encouragé Mme Ladouceur.

Quelques élèves arrivaient et nous contournaient pour aller s'installer à leur table. Yulia Chtcharanski, parmi d'autres, m'a lancé un regard impressionné et accusateur à la fois – bizarre ! – et a couru vers l'avant de la salle dans sa robe longue. Les chaises devant la scène étaient presque toutes déjà occupées, maintenant. Je me suis écarté pour laisser passer Jonathan et Mireille, qui ont croisé Valérie Béjar sans lui adresser un seul regard et sont allés rejoindre Béatrice à la table juste à notre gauche, la plus proche du poste de Julien.

— Vous avez raison, je vais aller voir mes amis.

— *Cheers*, a dit le prof d'anglais en levant son verre, geste qu'il a accompagné d'un plissement du nez pour relever ses lunettes dorées.

J'ai souri en le voyant aventurer sa main vers celle de Valérie…

Quelques minutes après, quand tout le monde, un verre de punch à la main, s'est assis et que la chaleur est devenue presque suffocante dans la salle pleine, les festivités officielles ont commencé. C'est la directrice qui a pris le micro la première, invitée par notre François Janvier national – ce type-là va toujours m'énerver ! Elle a fait un discours qui était sûrement pour elle vibrant d'émotion, qui commençait par : « Chers finissants et finissantes de l'école secondaire Cœur-Vaillant » et qui se terminait par : « Je vous souhaite tout le succès que vous méritez », et que je n'ai écouté que d'une oreille. Ensuite, je me les suis bouchées complètement pendant que Janvier reprenait la vedette pour amuser la galerie avec ses jeux de mots et ses cabotinages. Il n'y avait pas à dire, c'était sûrement le meilleur animateur de foule que l'école ait connu, sauf que son enthousiasme et son côté m'as-tu-vu m'agaçaient au plus haut point. Mais il faut bien l'admettre, j'avais des soucis qui me rendaient particulièrement irritable, et le pauvre Janvier n'y était en fait pour rien.

Commencer la fête sans Claire, sans savoir si elle allait venir ou non, et voir tous les élèves en couple, attriqués comme pour aller à leurs noces, c'était insupportable. Une chance que Julien était occupé par ses projections. Le voir avec sa nouvelle copine, ç'aurait été mille fois pire. Surtout que, évidemment, je n'avais pas d'autre choix que d'être content pour lui. Mais je ne pouvais pas m'empêcher de me sentir mis de côté, en dehors de la fête, isolé. Chaque minute qui passait et qui aurait dû être un moment magique me plongeait un peu plus profondément dans le désespoir. Pourquoi est-ce qu'elle n'arrivait pas ? Est-ce que sa mère la surveillait et l'empêchait de sortir ? Pire : avait-elle réfléchi et décidé elle-même de ne pas venir ? Avait-elle eu peur de nos sentiments réciproques et choisi de laisser passer du temps, quitte à tout gâcher ? Ne pas savoir était une véritable torture.

— Accueillez le *band* ! Et dansez ! a hurlé François Janvier dans le micro avant de sauter en bas de la scène.

Là, quelques spots blancs se sont éteints et d'autres, rouges et mauves, tournés vers la scène, se sont allumés. Des musiciens de l'âge de mes parents ont fait leur apparition, vêtus de costumes blancs identiques. Ils ont commencé immédiatement à jouer un morceau rock'n'roll, sur quoi la moitié de la salle s'est levée pour envahir la piste de danse. Pendant le solo de guitare, les lumières ont baissé et on a pu voir, sur le mur du fond, des spirales noires et blanches tournoyer. Je me suis retourné pour regarder Julien, derrière moi, rivé à son ordinateur. Il était si concentré qu'il a mis un long moment avant de m'apercevoir puis, quand il m'a vu, il a levé le pouce fièrement. J'ai répondu de la même manière.

— Tu viens danser, Victor ? a proposé Béatrice en me tapant du doigt sur l'épaule. Puisque j'ai perdu mon clavier… euh… cavalier !

— Pas tout de suite, Béa. Merci.

— T'es sûr ?

J'étais sûr. Je préférais rester proche de l'entrée, au cas où Claire arriverait, pour être bien en vue. Béatrice s'est quand même levée et est allée se mêler aux danseurs. Jonathan et Mireille ont fait pareil, main dans la main. Au moment où la chanson se terminait, j'ai entendu un sourd grondement, comme un tremblement de terre. J'ai couru à la porte du secrétariat principal qui donnait sur la cour. Je n'avais pas rêvé. Dehors, un éclair gigantesque a illuminé le ciel et de lourdes gouttes frappaient le sol en formant instantanément des flaques sur le chemin qui menait à la rue. Le premier orage de l'été. Merde ! *Shit !* Avec ça, j'en étais quitte pour oublier mon rêve romantique. Claire ne sortirait jamais par un temps pareil. C'était fini. J'étais fini.

Une goutte a éclaboussé ma cuisse et j'ai refermé la porte. Le secrétariat était désert. J'ai remis les pieds dans l'agora avec un air qui aurait fait peur à un zombie. J'étais complètement défait. Néanmoins, le party battait son plein. Tout le monde dansait ou parlait fort. Tout le monde était beau, tout le monde s'amusait. Pour eux, le bal signifiait vraiment ce qu'il devait signifier. Il me restait juste à faire comme eux et à oublier ma peine en sautant et en dansant comme un déchaîné. C'était la dernière fois que je mettais les pieds dans cette école. Et c'était tant mieux. Ça me ferait du bien de passer à autre chose, après cette humiliante défaite.

De guerre lasse, donc, j'ai rejoint Béatrice, qui s'intégrait mal au groupe de danseurs qui l'entouraient. Toute seule à se tortiller les yeux fermés parmi des couples tournoyant, elle devait regretter d'avoir trouvé un *nerd* de chum qui pensait juste à ses programmes et à ses écrans. Je me suis planté à côté d'elle et j'ai commencé à danser, timidement d'abord, puis avec au moins un enthousiasme feint quand elle m'a souri. Le groupe jouait *Light my Fire*, des Doors. Quand le chanteur s'est mis à crier, quelque chose s'est déclenché en moi. Une rage, peut-être, une solitude qui demandait à être exorcisée. Je me suis mis à sauter sur place en plissant les yeux très fort et en agitant les bras dans les airs comme un fou furieux. Je n'avais jamais dansé comme ça ; je n'étais plus maître de mes mouvements. *Come on baby, light my fire!!!* Je criais les paroles en même temps que le chanteur — je connaissais bien cette chanson, que j'avais apprise dans mes cours de guitare en secondaire deux. *Ré, la, mi* ou dans le désordre, je ne me souviens plus. La musique m'emportait. Mais aussi fort que je chantais, les mots qui résonnaient dans ma tête étaient quand même : « Claire viendra pas. Claire viendra pas. » Au bout d'un moment — la chanson semblait ne jamais vouloir finir — j'ai ouvert les yeux et j'ai vu Béatrice en face de moi.

Elle ne dansait plus. Au début, j'ai pensé qu'elle me regardait parce qu'elle me trouvait ridicule. Mais j'ai fini par remarquer que son regard passait juste un brin au-dessus de mon épaule et fixait quelque chose derrière moi. Mes deux pieds se sont enfin fixés au sol et j'ai pivoté sur moi-même pour voir ce qui attirait son attention.

À quelques centimètres de moi, dans sa robe de chambre bleu pâle trempée, Claire était plantée là. Ses boucles dégoulinantes étaient plaquées sur son visage. Quelques gouttes avaient mouillé la piste. Si je ne l'avais pas trouvée magnifique, je l'aurais comparée à une petite fille fantomatique dans un film d'horreur japonais. Mais ça me rappelait plutôt une autre scène, bien réelle et bien présente à ma mémoire : celle où je l'avais aperçue derrière le buisson dans ma cour. Sa robe de chambre était entrouverte et laissait voir une nuisette en soie qui lui allait jusqu'aux genoux, assez décolletée et bordée de dentelle.

Claire était venue !

La musique s'est enfin arrêtée et tout le monde s'est mis à applaudir, mais à un signe du chanteur en notre direction, ils se sont tous retournés vers nous. Claire ne disait rien, moi non plus ; j'arrivais à peine à croire que la plus belle fille du monde ait bravé l'orage, vêtue comme moi d'un pyjama, pour être ma cavalière à mon bal. Incapable d'exprimer ma joie avec des mots, j'ai fait un pas vers elle en la regardant droit dans les yeux. J'étais tellement fier d'avoir relevé le défi, tellement content qu'elle en soit témoin, que j'ai prolongé le moment un petit peu. Étrangement, elle n'avait pas du tout l'air surprise. Peut-être parce qu'elle n'avait jamais vraiment douté de mon courage… Mais elle – elle –, elle m'avait réservé toute une surprise ! Elle avait mis de côté tous ses vêtements de *tomboy* – elle avait mis de côté tous ses vêtements tout court – pour se présenter à moi comme ça, presque nue ! Et devant toute ma promotion ! C'était la plus belle et la plus sexy des déclarations qu'elle pouvait me faire.

Avant de rougir davantage et de montrer mon « émotion » à tout le monde, je me suis lentement approché de Claire, j'ai mis mes mains sur la soie de ses hanches (sous la robe de chambre, bien sûr) et je me suis penché pour l'embrasser. Elle s'était mise sur la pointe des pieds (chaussés de pantoufles) pour atteindre mes lèvres, et je devais la soutenir un peu. Je l'ai serrée contre moi très fort, comme si effectivement une longue guerre nous avait séparés durant des mois.

Je ne sais pas combien de temps a duré ce baiser – un vrai baiser réciproque, enfin –, mais quand nos lèvres se sont séparées, un cercle s'était formé autour de nous et on nous applaudissait. J'ai dû rougir comme un homard cuit, car j'ai senti des démangeaisons caractéristiques envahir ma nuque, et Claire a baissé les yeux en souriant. Elle était sûrement aussi gênée de cette ovation que de notre baiser enflammé, et moi avec ! Parmi nos spectateurs, il y avait Éva Ladouceur, qui nous regardait de l'air de celle qui n'a pas encore tout à fait compris. Son regard perplexe passait de Claire à moi, de moi à Claire.

— Mademoiselle Prévost, j'aurais aimé constater une telle assiduité en classe, et pas seulement les jours de fête. Vous prenez un bain de vieillesse, aujourd'hui ? Vous goûtez les plaisirs d'en être quitte avec l'école pour de bon ?

— Je suis venue voir le gars que j'aime, madame ! a répondu Claire sans hésiter.

— Et votre tenue, elle commémore quoi, au juste ? Je ne vois pas le rapport avec la guerre du Vietnam…

Interloquée, Claire a pris une seconde pour interpréter la question, sans succès. Finalement, elle a baissé sa robe de chambre pour découvrir son épaule droite et a dit :

— Non, madame, c'est pour la révolution féministe des années soixante !

Puis, tirant sur la bretelle du soutien-gorge qu'elle avait quand même mis sous sa robe de nuit :

— On va faire un grand feu de joie pour brûler ça dehors tout à l'heure !

Ma Claire ! Ma Claire à moi ! Elle lui en bouchait tout un coin, à notre directrice. D'ailleurs, Mme Ladouceur n'a pas semblé vouloir répliquer. Mon cœur était à la fête et le sien l'était aussi. Elle a souri à Claire et s'est éloignée alors qu'un slow commençait.

— Ça, je suis pas bonne là-dedans. On va s'asseoir ? a dit Claire.

C'étaient les premiers mots qu'elle m'adressait et j'étais content du ton décontracté sur lequel elle les avait prononcés. J'ai eu l'impression que c'était fini de se tester mutuellement. Un grand poids s'est enlevé de mes épaules. J'étais aussi bien d'accord pour laisser tomber le slow. Pendant que tous les couples établis se colleraient, Claire et moi aurions la paix. Je voulais tout savoir. Ce qu'elle pensait, comment elle avait réussi à s'échapper de la maison, de quelle portion de l'affaire Julien était au courant. Je l'ai conduite à la table, déserte.

Quand Julien nous a vus arriver, il a appuyé sur une touche de son clavier, mettant en marche un montage d'images tout préparé, et a couru vers nous. En mauvais stratège qu'il était, il s'est glissé entre Claire et moi.

— Hey! Les amoureux! C'est-tu pas beau, ça? Mon meilleur ami et ma petite sœur chérie, réunis dans l'amour! Alors, sœurette, il est mieux en vrai qu'en photo, hein?

Ah ha! C'était donc ça, ce qu'il avait oublié dans sa chambre quand j'étais allé le chercher chez lui avant le bal! Il lui avait montré la photo de moi pour prouver à Claire que j'avais relevé le défi!

— T'as manigancé ça et tu m'as laissé me morfondre tout le début de la soirée! Et on appelle ça un ami!

Julien s'est tranquillement adossé et a arboré un sourire triomphant.

— Celui qui s'appelle ton ami a convaincu sa mère de laisser sortir sa sœur en plaidant que son grand chum serait dévasté s'il voyait pas l'amour de sa vie le soir de son bal. C'est-tu correct, ça ?

Je peux pas décrire comment je me sentais quand il m'a dit ça. Plein de reconnaissance, j'ai serré Julien dans mes bras (juste assez brièvement pour ne pas me perdre en « sentimentalerie »), puis j'ai poussé sa chaise pour atteindre Claire et l'embrasser encore. Béatrice, Mireille et Jo sont revenus à la table et ont salué ma « blonde » en lui tendant la main tour à tour.

— La grande fugueuse en robe de nuit, a fait Jo. T'as manqué un méchant party vendredi !

Pendant dix minutes, ça n'a pas arrêté. Tout le monde est venu voir Claire pour lui demander comment s'étaient déroulés ses quatre jours de fugue. À un moment, j'ai vu qu'elle était épuisée de répondre aux questions, surtout qu'elle avait pris le parti de ne rien dire de notre cohabitation, et qu'elle semblait patiner. J'ai voulu venir à sa rescousse.

— Bon, petite Claire, c'est bientôt l'heure de ton dodo. Viens-tu ?

Claire, désormais confiante, résolument amoureuse, m'a regardé avec tendresse.

— Bientôt, Victor. Bientôt. Mais tu pourrais pas attendre que ma robe de chambre soit sèche ?

* * *

Je passe les détails sur la fin de la soirée. Avec la chaleur d'enfer qu'il faisait dans l'agora, la robe de chambre de Claire a séché assez vite. En fait, j'avais tellement hâte de partir avec elle que je l'ai un peu incitée à aider sa cause en utilisant les sèche-mains des toilettes. L'orage avait cessé depuis longtemps. J'avais tellement de choses à dire à Claire que l'idée d'aller passer une nuit blanche entouré de finissants énervés dans un après-bal ne m'avait même pas effleuré l'esprit. On est plutôt rentrés chez moi au plus vite. Claire a téléphoné à sa mère pour l'avertir qu'elle ne rentrait pas avant le lendemain. C'est avec une infinie précaution qu'on a fait glisser la porte-patio de ma chambre. Mes parents s'attendaient à me voir revenir tard, il ne fallait pas que je les déçoive. De toute façon, ils avaient beaucoup à se dire, eux aussi.

Assis sur les oreillers, adossés au mur, on a dû parler pendant des heures, je n'ai pas compté. Pas besoin de vous dire que, habillés comme on l'était, on avait déjà fait la moitié du chemin vers une nuit romantique. Ou plutôt une grasse matinée romantique, parce qu'on tenait tous les deux à voir le jour se lever avant de se glisser sous les draps. Mais la météo, pour commémorer le moment de notre coup de foudre, ne nous a rien laissé voir. Il a plu pendant des jours entiers.

C'est tout ce que je demandais.

Cet ouvrage a été composé en Fiona sérif 10/13,3
et achevé d'imprimer le 10 mars 2009 à 11 h 11, sur les presses
de Imprimerie Lebonfon Inc. à Val-d'Or, Canada.

certifié   procédé   100 % post-   archives   énergie
            sans chlore   consommation   permanentes   biogaz

Imprimé sur du papier 100 % postconsommation,
traité sans chlore, accrédité Éco-Logo et fait à partir de biogaz.